Ma vie, ma folie

DU MÊME AUTEUR

Premier bal (avec Jeanne Cordelier), Hachette, Paris, et Hurtubise HMH, Montréal, 1981.

Les Images de la mère, Hachette, Paris, 1971, (épuisé).

L'Enfant dans le grenier, Hachette, Paris, 1977, (épuisé).

Le Psychanalyste nu, R. Laffont, Paris, 1979.

Kati of course, Mazarine, Paris, et L.R.P., Montréal, 1980.

Le Choc des œuvres d'art, Hurtubise HMH, Montréal, 1980.

Julien Bigras

Ma vie, ma folie

roman

MAZARINE/BORÉAL EXPRESS

Photo de l'auteur: Sam Tata

Diffusion pour le Québec:
Dimédia: 539, boul. Lebeau
Ville Saint-Laurent

© 1983, Éditions Mazarine
8, rue de Nesle — Paris VIe

Pour le Canada:
© Éditions du Boréal Express

ISBN 2-89052-077-3
Dépôt légal: 3e trimestre 1983
Bibliothèque nationale du Québec

*à Jacques Ferron
et au regretté Nicolas Abraham*

*à Jean-François Bigras
et à Marie-Josée Beaudoin*

AVANT-PROPOS

En moins d'un mois, au cours de l'été 1979, une série d'événements inattendus traversèrent ma vie ; j'en ressortis radicalement transformé. Me voici donc, moi médecin, avec cette histoire dans la gorge, ne sachant trop comment en disposer maintenant que le mal s'est bel et bien installé.

Ce même mois, une ancienne patiente, Marie, que j'avais soignée dix années plus tôt, revenait me voir dans un nouveau délire, ou plus justement dans le même délire qu'autrefois. Mais cette fois, elle allait m'entraîner dans d'autres sentiers, vers un monde inconnu des humains jusque-là.

Dix années auparavant, je ne m'étais pas rendu compte que Marie m'avait déjà entraîné dans son sillage et qu'elle avait changé le cours de ma vie à mon insu.

De cette première rencontre, j'avais beaucoup

engrangé. Pour plus tard. Pour plus loin. Ma vie allait en être définitivement empreinte.

Plutôt que de m'arrêter à elle, à ce qu'elle me confiait, je m'étais soudainement mis à écrire l'histoire d'un enfant fou laissé pour compte. A la fin, n'en pouvant plus, je dus même l'abattre comme on abat un chien. Cet enfant parlait-il déjà au nom de Marie? Je n'en savais rien.

L'histoire de cet enfant enfoui en moi demeurait en attente... d'une petite fille à la fois farouche et féroce, qui ne demandait plus qu'à renaître.

Cette enfant, cette fillette si longuement désirée serait-elle revenue en cette femme, Marie?

C'est ainsi qu'un jour je m'aperçus que Marie faisait partie de ma maison. Elle occupait les lieux. Elle prenait toute la place. Comment s'y était-elle prise pour m'envahir, s'insinuer jusqu'au plus secret de mon être? Il n'y eut pourtant nulle effraction, nul bris de serrure. Une nouvelle histoire s'était construite en mon absence, avec toute une kyrielle de fantômes, de morts, de maris et de pères jaloux, de femmes et de mères trompées, d'où naquit ce récit qui était mien, ou pouvait l'être, jusqu'à la moelle. Jaillie de ce simple incident professionnel, une haine incroyable petit à petit s'était emparée de moi, de mes pensées, de mes désirs.

AVANT-PROPOS

Marie m'avait ouvert une autre voie... celle du non-retour. Marie devint ma complice comme je n'en aurai jamais d'autres.

Marie devint ma vie... ma folie.

J.B.

*« Elle fit de moi son empreinte...
et la folie conjugua ma vie. »*

*« Sa force était telle
que l'univers frémissait à son ombre. »*

M.J.B.

I

Marie

Dès que je rencontrai Marie, je m'attachai à elle — maintenant je le vois bien — d'une façon anormale, excessive.

La nature particulière de sa souffrance aurait dû me dissuader de la prendre en traitement. Sa peau foncée, ses yeux verts, ses pommettes saillantes, ses cheveux d'ébène, tout en elle évoquait, à s'y méprendre, une Iroquoise pur sang. Cette ressemblance était aussi son mal, ainsi que je l'ai constaté à la lecture des premières lignes écrites dans le journal qu'elle me donnait à lire au fur et à mesure de nos rencontres.

« *Quand maman se regardait dans un miroir, elle ne me voyait plus, elle me perdait et je la perdais, même si j'étais à côté d'elle. Elle se regardait et je la voyais se regarder, se refléter dans le miroir, et je ne la reconnaissais pas et je la perdais parce qu'elle me perdait.*

« *Indienne, sauvagesse, sauvage, étrangère,*

17

étrange, autre, voilà ce que j'étais à ses yeux. Être squaw était ma honte. Pourtant ce " sang-mêlé " qui frappe tant les gens lorsqu'ils me regardent n'est qu'un pâle reflet de ce que je suis intérieurement. »

Comme moi, Marie se posait maintes questions sur ses origines :

« Où ma mère est-elle allée chercher cette couleur de peau ? De qui peut bien provenir cette hérédité maudite ? Pas de mon père. Ça vient sûrement de maman et de ses ascendants. »

Récemment, Marie m'a conté que sa mère aurait fait l'amour avec un Iroquois interné à l'asile en même temps qu'elle lors d'une de ses « attaques de folie », et que ce serait lui son vrai père.

Cette explication ne la satisfaisait pas. Le mystère de ses origines, qui avaient fait d'elle un être à part, remontait plus loin encore dans le temps. Elle se sentait secrètement habitée, depuis toujours, par un incontrôlable désir de liberté, par un refus total de se soumettre à l'ordre établi. Mais quand les autres lui renvoyaient cette image d'elle-même, un sentiment étrange de honte l'envahissait.

MARIE

Marie était née dans une famille bourgeoise. Alors qu'elle n'avait pas encore deux ans, un coup de théâtre vint marquer sa vie : sa mère soudainement violente fit une crise de folie et fut internée le soir même. La bonne, témoin de ce qui s'était passé, fut tellement effrayée qu'elle quitta sur-le-champ la maison de ses maîtres, refusant à jamais de raconter à qui que ce soit les événements auxquels elle avait assisté. La petite fille avait grandi dans la terreur, sans doute causée par ce souvenir inconscient, et c'est ainsi qu'elle vint me consulter. Je pense avoir finalement réussi à reconstruire ce qui s'était probablement passé entre Marie et sa mère, ce jour-là : la mère, en poussant des cris bizarres, de plus en plus perçants, s'était littéralement accrochée à sa petite fille, lui avait saisi la main et l'avait mordue.

Il n'a pas été aisé de reconstituer, de revivre cette scène de violence. Il n'est pas fréquent de voir une mère, telle une bête furieuse, s'attaquer à son enfant et la mordre tout en poussant des cris de folle. Ce souvenir m'avait laissé perplexe : j'étais à la fois attiré, médusé, presque envoûté par cette scène de violence et effrayé, terrifié.

Dans quelle histoire m'étais-je laissé entraîner ? me disais-je alors. Au début de cette aventure, je pus toutefois me ressaisir et continuer de la soigner. Je réussis même à me convaincre que ce n'était pas la morsure qui avait marqué l'enfant mais l'abandon de sa mère. Ce faisant, je tombais dans l'autre préjugé fort courant à l'époque, celui de tenir la mère criminellement responsable de l'état de son enfant, parce qu'elle l'avait abandonnée et qu'elle avait été internée le soir même de cette prétendue scène de violence.

Aujourd'hui, je sais bien que ce n'est pas uniquement ce qui est arrivé un certain après-midi, entre elle et sa mère, qui avait rendu Marie malade, mais plutôt une série d'événements, de paroles, d'incidents vécus depuis sa naissance. La mère de Marie était une éternelle déprimée, incapable d'écouter, de se pencher sur son enfant.

Et le père, lui, dans toute cette histoire ? Néant. Absent. Tout comme les grands-parents, pourtant resplendissants de santé. La mère était seule dans sa misère. Et l'enfant, seule avec sa mère malade. La scène de la folie avait été la goutte qui avait fait déborder le vase. Il n'aurait pas fallu s'en prendre à la mère. Mais plutôt au père et aux grands-parents, à leur absence tant physique que morale. Pourtant, dans son corps et dans son être, Marie ne cessait d'émettre des signaux de détresse.

Après l'incident, la petite fille passait la plupart de son temps auprès de son chien. Voyant cela, la famille ne trouva rien de mieux que de lui offrir des animaux : veaux, cochons, poules, lapins, canards. Le moyen était efficace : ils étaient débarrassés de cette petite fille capricieuse. Marie grandissait au milieu de ses bêtes et s'éloignait de plus en plus de l'essence humaine, car elle découvrait là cette présence dont elle avait tant besoin. Un jour, au cours d'une visite, elle me fit cette curieuse confidence : « J'ai tellement peur de vous perdre, vous n'en avez pas idée. Mais ce n'est pas en tant qu'être humain que je suis attachée à vous. Je vous aime de la même manière que j'aimais mon chien. »

Je compris alors que c'était le chien de Marie qui l'avait sauvée, en lui faisant connaître l'amour maternel, ou plutôt l'amour tout court, sans lequel aujourd'hui elle n'existerait plus.

Était-ce à cause de ses antécédents iroquois ? Comment se fait-il que je découvris trop tard que Marie était la femme la plus redoutable que j'allais connaître ? Marie, elle, le savait depuis toujours : elle était portée à tuer les êtres dont elle devait se détacher. Elle n'avait pas le choix.

Incapable d'accepter la perte de ses objets, de ses animaux surtout, et de les voir souffrir, elle les supprimait plutôt que de les voir s'éloigner d'elle.

Elle parlait de la mort de sa vieille chienne aveugle, dans son journal, comme d'un acte d'amour :

« *Quand je suis rentrée, ce matin, un soleil me brûlait le ventre. Mais ce qu'il y avait à faire fut fait. Ma petite chienne chérie, je ne t'ai jamais autant aimée que ce matin. Tu respirais le musc et la terre trempée du jardin. Tu enfonçais ta truffe humide et froide sous mes cheveux pour mieux me lécher l'oreille. Tes yeux qui n'y voyaient plus, gardaient quand même une douceur de velours et d'amour. Je te demande pardon d'avoir tant tardé à faire ce que j'ai fait. Il y a longtemps que tu aurais dû cesser de souffrir. Toi, ma toute semblable, ma toute pareille.* »

Cette confidence amoureuse, tirée de son journal, commençait à m'effrayer. J'avais peur de subir un jour le même sort. Mais j'écartai vite mes appréhensions. Ou peut-être était-ce Marie qui s'arrangeait pour que j'oublie aussitôt les dangers que notre relation me faisait courir.

MARIE

Chaque matin Marie se trouvait devant une tâche importante : s'assurer que son domicile allait bien, sa mère, ses enfants, son mari, ses animaux. Ces responsabilités quotidiennes devenaient pour elle une question de vie ou de mort. Que sa mère ou qu'un enfant fût malade, c'était la catastrophe : tout basculait, tout s'écroulait en elle.

Avec Marie j'oubliais même la mort. Jusqu'au moment où j'eus à la côtoyer, je n'avais de la mort qu'une image affreuse, hideuse, de laideur et de pourriture, de croque-morts et de corbillards. Depuis que Marie m'avait raconté la fin de sa vieille chienne aveugle, la mort pouvait également devenir une halte, une caresse.

J'ignorais à l'époque que Marie avait subi une véritable mutation de l'être. Elle délirait, elle faisait un délire de chien. Elle n'aboyait pas, elle ne marchait pas à quatre pattes. Elle ne se prenait pas pour un chien, même quand elle était seule : et c'était bien là le drame. Car si elle s'était vraiment crue chien, elle aurait été en accord avec elle-même, en quelque sorte, et elle n'aurait pas vécu dans la confusion. Quand je dis que Marie faisait un délire de chien, je vais peut-être un peu loin, mais dans cette affirmation il y a quand même un fond de vérité, car Marie sentait en elle-même une totale proximité avec les animaux. Déjà toute petite, elle se réfugiait auprès d'eux. A force de s'en rapprocher, de les aimer et de se sentir aimée d'eux, il s'était créé une complicité, une entente particulière si exclusive et si nourrissante que peu à peu Marie s'était transformée intérieurement, et s'était mise à leur ressembler. J'avais l'impression qu'elle avait perdu toute nature humaine afin de profiter au maximum de leur contact gratifiant.

Son chien, me disait-elle, avait remplacé sa mère. Elle pouvait se métamorphoser également en d'autres sortes d'animaux, même en libellule ou en grenouille.

« Une fois j'ai vu que des palmes vertes et transparentes avaient poussé entre deux doigts, l'annulaire et l'auriculaire de chaque main. J'étais absolument horrifiée et désespérée, autant par la présence de ces palmes que par le fait d'avoir à les cacher aux autres.

« J'étais vraiment devenue libellule et grenouille. »

Marie attendait. Il y eut un long silence. Je vis alors, à peine esquissée, une lueur étrange dans son regard. En fait c'était moi qui venais de changer, c'était évident. Marie savait que je n'étais plus comme avant. J'étais bouleversé, figé, bouche bée.

Marie avait bien deviné. Je commençais à me poser de sérieuses questions : « Il est gentil son délire de chien, de libellule et de grenouille, me disais-je. Mais pourquoi ne m'a-t-elle pas raconté dès le début qu'elle délirait ? »

Car désormais le tableau n'était plus du tout le même. Mine de rien, Marie, par cette révélation, venait de m'annoncer qu'elle était tout simplement folle. Que devais-je faire ? L'hospitaliser ? L'interner en milieu fermé ? Lui administrer une puissante médication qui lui enlèverait toute envie de recommencer ses petits délires ? La mettre aux électrochocs ? J'aurais pu faire tout cela. C'est d'ailleurs ce que l'on fait en général dans ces cas-là.

J'avais Marie devant moi. Comme d'habitude, elle m'observait posément avec ses grands yeux verts. Je me perdais dans son visage couleur de terre brûlée à l'indienne. Son regard avait repris possession de mon être. Elle m'interrogeait en silence et elle savait que je perdais mes moyens. Dans cette histoire, qui soignait qui ? Brusquement, j'étais à nouveau rentré dans sa vie, dans son personnage, sans avoir eu le temps de me protéger. Je l'écoutais et j'entendais « la voix-chien » de Marie.

Entre elle et moi les mots comptaient de moins en moins. Lentement un nouveau langage s'était établi, celui des silences, des mimiques, des gestes, mais aussi celui des frissons et des sanglots, ou encore celui des fuites du regard et de la pensée. Plus que les mots comptait le fait d'être ensemble. L'air, chargé de la puissance de nos émois, circulait de l'un à l'autre et prenait chaque fois une densité nouvelle. Marie réussissait toujours à capter mon attention, et à me faire oublier l'importance de mes soucis.

Un jour, elle m'annonça qu'elle avait des hallucinations auditives depuis l'âge de douze ans. Ces hallucinations n'étaient toutefois pas constantes, corrigea-t-elle aussitôt. Les sons entendus se produisaient par périodes. Au début ils étaient très sourds comme le ronronnement d'un chat, ou comme du papier de soie que l'on froisse. Puis ils s'amplifiaient à tel point que sa tête éclatait et qu'elle se retrouvait à demi inconsciente, recroquevillée au fond de son lit. Malgré leur violence, m'assurait-elle, ils formaient d'abord et avant tout une sorte de cocon sonore qui la protégeait contre l'éclatement d'elle-même en mille morceaux. Au début de la crise, elle baignait dans une mer de sons comme dans un liquide amniotique. C'était seulement à leur paroxysme, lorsqu'ils étaient devenus beaucoup trop forts, que cette membrane, ce mur du son, explosait, tout en la faisant exploser elle aussi. En dépit de leur violence, ces bruits qui l'entouraient la rassuraient.

A quel moment me suis-je vraiment rendu compte que c'était précisément ce même « langage-cocon » qui nous unissait ? Était-ce une certaine qualité du silence mêlé aux bruissements des feuilles d'un arbre situé juste devant la fenêtre de mon bureau qui faisait que Marie et moi avions le sentiment de vivre dans un nid ? Mais il faut bien l'avouer, c'était le langage de Marie, uniquement le sien qui avait cours entre nous. C'était devenu un pacte entre nous. Je n'avais plus qu'à me laisser porter par son langage, par son rythme et ses humeurs.

Pendant combien de temps allais-je me laisser ainsi porter par Marie ? Je l'ignorais. Il m'arrivait parfois de lui raconter des événements de ma vie intime, ceux-là mêmes difficilement traduisibles en mots. Très souvent nous ne pouvions savoir d'où venaient tel sentiment, telle pensée, tel mouvement.

Le rythme des sons et des silences, la musi-

que des mots avaient beaucoup plus d'importance que les confidences elles-mêmes, si terri-
fiantes fussent-elles. Avec Marie, je perdais le
sens de la durée et de l'espace. Elle me trans-
portait, sans avertissement, dans son univers.
Elle recréait avec une aisance désarmante, dans
la pièce où nous nous trouvions, l'atmosphère
trouble et fantastique de la vie animale. Tout
devenait textures, couleurs, odeurs. Moi-même,
je me découvrais au milieu de ce monde ; mon
corps et ma vie vibraient au même diapason.
Marie était l'âme de nos rencontres. Elle en
contrôlait le contenu. Par contre c'était moi qui
décidais de la longueur et de la fréquence de
nos entretiens, ainsi que de leur interruption
pour les nombreuses vacances que j'avais l'habitude de prendre. En fait Marie avait le contrôle
du dedans du cocon, et moi celui du dehors, de
sorte que l'un et l'autre nous avions le pouvoir
de le détruire, soit de l'intérieur, soit de l'extérieur.

Mais plus graves encore que ses hallucinations et ses délires étaient ses périodes de vide
mental qui la poussaient au suicide. Par
moments, elle retrouvait son harmonie, particulièrement la nuit où, dans le silence, elle écrivait
son journal.

Marie écrivait sans cesse, ignorant vraiment

pourquoi elle le faisait, sans savoir si finalement cela pouvait l'aider. « J'ai commencé à écrire mes pensées à l'âge de cinq ans », m'a-t-elle dit. Après tant d'années, il semblait que cette « forme de libération » n'avait pas été très efficace. Mais elle n'était pas libre, il fallait qu'elle écrive, c'était pour elle un besoin vital. Ces moments de « retrouvailles » servaient-ils à parer à une débandade totale ?

C'est au moment où Marie prit conscience de l'intensité de ma présence auprès d'elle qu'elle me mit en garde : « Faites attention, docteur Bigras, si vous vous approchez trop de moi, vous allez devenir fou, vous aussi. » Marie était persuadée d'être aussi fortement liée à moi qu'elle l'avait été à ses chiens.

Curieusement, mes sentiments s'étaient complètement transformés à son égard. Je ne me sentais pas menacé. J'étais même ému qu'elle ait associé notre complicité avec celle qui l'unissait à ses animaux. N'était-ce pas avec eux qu'elle avait connu les moments les plus paisibles de sa vie ?

Pour ma part, je me souvenais qu'étant petit, je n'avais jamais eu peur avec mon chien ; je pouvais m'aventurer très loin dans la forêt, pourvu qu'il fût avec moi. Pourquoi aurais-je eu peur de Marie?

Dans nos entretiens, Marie revenait sans cesse au fameux « jour J », ce jour où sa mère avait fait une crise de folie à la campagne. Très tenace, Marie croyait qu'elle parviendrait à annihiler les effets de ce drame. Car depuis lors, il s'était produit un changement radical dans les relations mère-fille. L'effet fut immédiat ; l'enfant, devant la folie de sa mère, était également devenue folle. Elle venait me consulter parce qu'elle avait trop mal et qu'elle n'arrivait plus à se reconnaître.

Depuis le « jour J », entre la mère et la fille s'étaient instaurées une complicité implicite, une nécessité absolue de s'observer et de se regarder vivre mutuellement. Mine de rien, elles s'épiaient constamment. Cette surveillance, cette tyrannie mutuelles étaient devenues la base même de leur vie. Marie avait une peur panique de voir sa mère perdre pied à nouveau. Les moindres éclats de voix, les plus petits fous rires la glaçaient d'effroi. Elle était prête à tout pour que sa mère demeure calme et heureuse, pour que sa mère ne bascule pas. Cette surveillance était d'autant plus pénible que Marie était parfaitement consciente de la précarité de leur équilibre.

MARIE

Chaque hospitalisation, chaque « voyage » éloignait Marie de sa mère. Marie savait mentalement, ou parce qu'on le lui avait sans doute dit, que la femme qui était là devant elle était sa mère. Elle jouait le jeu : celui de la reconnaissance. Mais, instinctivement, sa première réaction était celle de la méconnaissance. Avait-elle trouvé dans cette « méconnaissance » une échappatoire, un moyen inavoué de survivre ? La folie de sa mère avait transformé Marie en un être inhumain. Plus rien ne la rattachait aux autres, sinon l'apparence extérieure. Elle « ne se sentait plus comme les autres ».

Au début de nos rencontres, j'arrivais mal à saisir la gravité de cette situation. Son contact avec les animaux ne lui avait pas seulement été bénéfique, il lui avait tout simplement sauvé la vie. Plus précisément, Marie avait acquis par cette relation inespérée une perception, une vision plus directe, plus profonde, plus instinctive des êtres, des choses et des événements. Mais ce n'était pas son avis. Bien sûr, m'accordait-elle, elle ne se percevait pas comme diminuée ou affaiblie par ce changement, *face à elle* ou mieux *face à moi*. Mais elle se percevait comme un être gravement handicapé, limité, *face aux autres*. Elle vivait dans un monde organisé, fonctionnant à un rythme totalement différent du sien. Elle m'expliquait : « C'est une lutte de tous les instants que d'arriver à survivre. Le mal n'est pas à l'extérieur de moi, je le sens bien, il est en moi. C'est à l'intérieur que ça ne va pas. C'est moi qui suis désaccordée de tout ce qui m'est offert et donné. D'ailleurs je ne cadre dans aucun décor, même à la campagne où j'espérais trouver une certaine plénitude avec la terre, l'eau, les arbres, les poissons ! »

Ainsi ce drame avait lié, scellé à tout jamais la fille à la mère, la mère à la fille, pour le meilleur et pour le pire. Cette union indissoluble, exclusive, cet amalgame insolite les avaient à tout jamais inéluctablement imbriquées l'une dans l'autre. Toute séparation devenait une menace de mort. La puissance de ce nœud était telle que les autres membres de la famille en étaient exclus à jamais.

C'est avec cette même intensité que, vers la troisième année de nos rencontres, Marie découvrit brutalement son amour total et son besoin absolu de moi. Elle s'était attachée à moi par le même lien qui l'avait nouée à sa mère. Elle ne pouvait plus me perdre ni se passer de moi. Elle ne pouvait pas me garder non plus, ne fût-ce qu'en raison de mes vacances, pas plus

32

qu'elle n'avait pu garder sa mère, à cause de ses crises de folie. Ainsi Marie s'était-elle réveillée, un beau matin, avec la sensation — pire, la conviction — qu'elle était désormais collée, rivée à moi comme l'escargot à sa coquille, dans une relation sans issue.

« Maudite folle, criait Marie ce jour-là, oui maudite folle, folle que je suis, pourquoi me suis-je laissé prendre une deuxième fois ? » Devenue subitement et gravement suicidaire, elle me fit jurer que, « quoi qu'il arrive, je ne l'internerais pas ».

Oui, j'avais juré — quoi qu'il arrive.

II

Aubert

J'avais juré — quoi qu'il arrive — de ne jamais faire interner Marie. Depuis ce jour, la peur que je ne connaissais plus avec Marie, la peur oubliée, avait refait surface et s'était emparée de tout mon être en un bloc compact, sans transition. Je ne savais plus que faire. J'étais perdu. Je m'entendis lui offrir quelques recours naïfs et enfantins : « Si vous avez trop peur, lui dis-je, vous pouvez me téléphoner, même la nuit. »

Or, c'était moi qui avais peur.

Une semaine passa. Un soir, il était près de minuit, elle m'appela. Je l'entendis silencieuse au bout du fil, sa respiration était saccadée, haletante. Malheureusement, j'étais épuisé, comment pouvais-je l'aider ? Il me fallait trouver une alternative : oui, tenir ma promesse et ne pas la laisser tomber, surtout ce soir-là où je la sentais totalement dépourvue, désemparée. « Laissez le téléphone décroché toute la nuit, lui proposai-je, déposez l'écouteur sur votre oreiller. Je ferai la même chose de mon côté. » Nous avons donc dormi l'un près de l'autre, l'un avec l'autre, cette nuit-là pour la première fois. Nous avons recommencé les nuits suivantes, pendant près de deux semaines, jusqu'au moment où tout danger de suicide fut effacé.

A notre quatrième nuit, coup de tonnerre pour elle qui ne dormait pas : elle m'entendit faire un cauchemar à haute voix. « Dans une langue totalement étrangère », me précisa-t-elle le lendemain. Elle n'allait pas oublier de sitôt cette divagation nocturne.

Je me sentais coupable. Comment se faisait-il que moi, psychanalyste, je me sois laissé aller jusqu'à lui faire entendre un cauchemar en langue étrangère, à proprement parler un rêve de fou ? Était-ce possible que — conscient de mon rôle interposé de mère — je lui aie fait, moi aussi, à l'autre bout du fil une crise de folie ? Bizarrement, ce cauchemar ne l'avait pas inquiétée. Il l'avait même rassurée. Il est vrai qu'elle m'aimait et que je l'aimais. Mais cela comptait-il vraiment ? Et surtout quelle en était la signification profonde ?

Deux années plus tard, Marie m'avait quitté, contente, heureuse même, mais sans que nous ayons élucidé de quelque manière concrète l'énigme du langage qui nous avait si fortement liés l'un à l'autre : langage animal ou langage-cocon, comme nous l'appelions parfois, bref, langage qui demeurait totalement mystérieux. Et cet autre langage, celui de mon cauchemar en langue étrangère, restait lui aussi inexpliqué.

Malgré tout, elle prenait congé de moi sans crainte, tout en étant certaine de ne pas m'oublier. Cela semblait lui suffire. Elle me garderait en elle et jamais plus ne me perdrait.

Elle continua d'écrire son journal. De ce besoin, qui lui était aussi impérieux qu'une drogue, je n'avais pas réussi à la guérir, pas plus que je n'avais réussi à me guérir moi-même. Depuis, comme elle, j'éprouve ce besoin d'écrire tous les jours. Ce que je dirai sur Marie et plus tard sur mon fils, sur mes ancêtres et sur mes maîtres le sera à la manière d'un journal intime, avec tous les risques qu'une telle forme d'expression comporte.

Marie est restée dix années sans recourir à mon aide, « dix belles années », me dira-t-elle. Puis un jour, j'ai reçu d'elle un S.O.S. Elle se sentait à nouveau en danger. Elle m'écrivit une lettre d'urgence :

« *Docteur Bigras, je l'ai décidé, je vais tout vous dire d'un coup. Je crois que je redeviens folle.*

« *Maman, elle, l'est toujours. Dernièrement, elle m'a raconté la première crise qu'elle avait faite devant moi, celle que nous avons reconstituée. Elle a confirmé que je n'avais qu'un an et demi. Et quand elle est revenue à elle, si on peut dire, elle a vu que j'avais tout compris, tout enregistré. Elle l'a vu à la couleur et à l'expression de mes yeux, a-t-elle dit. Elle a même ajouté : " Tu avais l'air terrifiée. " Elle a été hospitalisée le jour même de sa crise mais ce n'est pas cela qui m'a fait tant de tort. Une mère, après tout, peut bien être hospitalisée pour une raison ou pour une autre. L'enfant ressent cela comme un abandon, c'est sûr. Mais dans mon cas, ma mère a préféré la folie à moi, et elle a fait cela sous mes yeux. Lorsqu'elle a accouché de sa folie devant moi, j'étais là, j'ai vu, j'ai entendu, j'ai compris. Ça s'est cassé aussitôt. A jamais tout s'est décoloré, terni, souillé.*

« *J'ai souvent les mains gonflées, énormes, remplies d'eau, avec la peau des doigts mince comme du papier cellophane et les os qui deviennent tout petits et fragiles. Il y a aussi les*

40

mâchoires qui grossissent démesurément, jusqu'à envahir toute la tête. C'est horrifiant.

« *Je suis folle depuis toujours. Quand je perds pied, il n'y a plus rien pour m'arrêter. J'ai peur. Pourquoi ai-je toujours été incapable de me blottir contre quelqu'un ?*

« *C'est là en moi, même quand je fais l'amour ; ça s'empare de moi, j'ai peur qu'on tue mon âme et mon cœur. Malgré cela, je recommence toujours à faire l'amour, comme si je voulais chaque fois me retrouver dans le contact et l'amour éperdus de ma mère. De l'amour, j'ai donc perdu le meilleur. Jamais je n'aurais pensé que ça recommencerait, que je deviendrais folle à nouveau.*

« *Je suis devenue un rat effrayé et affamé qui ne reconnaît plus rien. Il y a un tel vide en moi que je ne peux m'empêcher d'en vouloir à tout le monde.*

« *D'ailleurs je serai toujours celle qu'on trompe et qu'on trahit. Je demande trop et personne ne peut ni ne pourra jamais colmater la brèche par laquelle la vie me fuit. C'est ça que j'ai toujours demandé : qu'on bouche ce trou, qu'on m'emplisse enfin. Les forces me fuient, toutes les horreurs peuvent entrer en moi. C'est si facile de s'introduire*

*et de détruire lorsque personne n'occupe la
barre.*

*« Comme maman, vous avez désormais droit
de vie et de mort sur moi. Il ne me reste plus
qu'à m'en remettre à vous.*

Marie. »

Je lisais cette lettre et je me disais que plus
rien n'était tout à fait comme dans les années
soixante. A cette époque, j'étais jeune et inconscient de ce qui m'entraînait, malgré moi,
vers Marie. Cette fois-ci, il me semblait que
seul un miracle parviendrait à remettre vraiment Marie sur pied. Je venais de m'engager pour une deuxième fois avec elle. Désormais c'était clair : je connaissais la gravité
de la maladie et j'étais dépassé par les événements.

Il était prévu que pendant un mois je passe-
rais tous les week-ends avec ma famille sur
le bateau d'un ami, Aubert Tremblay. Nous
avions organisé une croisière qui, par
étapes, d'une semaine à l'autre, nous condui-
rait jusqu'aux Grands Lacs. Nous en étions
à notre deuxième voyage lorsque je reçus

cette lettre de détresse de Marie, et je ne pus y répondre tout de suite.

La vie à bord était simple. Mon fils Alexandre, un jeune homme de quinze ans, blaguait avec Sylvie, la fille d'Aubert, et son ami Fernando. Anne, ma femme, rangeait les provisions. Nous nous couchâmes tôt. Je n'arrivais pas à m'endormir. Le souvenir de Marie me hantait, et surtout cet appel au secours exprimé dans la lettre que je gardais avec moi.

Il était évident, pensai-je, que j'allais de nouveau l'accepter comme patiente et me jeter, en quelque sorte la tête la première, dans une autre étrange aventure.

Le lendemain, perdu dans mes pensées, j'allai rejoindre Aubert au poste de pilotage. Une idée saugrenue venait de me traverser l'esprit. « Aubert, lui demandai-je, puisque c'est ton métier, voudrais-tu faire des recherches sur mes ancêtres ? J'aimerais connaître mon arbre généalogique. »

Aubert, historien aux Archives nationales du Québec, pouvait facilement me rendre ce service. Il n'en demeura pas moins perplexe, ne comprenant pas d'où pouvait bien me venir cette idée subite.

Ma demande lui remit malgré tout en

mémoire une foule de souvenirs. Il se rappela notre adolescence comme pensionnaires dans le même collège. Pour lui, qui demeurait en ville, c'était surtout les vacances passées à la ferme familiale qui l'avaient marqué. Il était très attaché à mon père. Le dimanche matin, Aubert et moi l'accompagnions dans ses promenades en forêt.

« Savais-tu, dis-je à Aubert, que du temps de l'enfance de mon père et de mon grand-père on trappait encore des ours et des loups ? » Mon père aimait bien, le dimanche soir, fréquenter les salles de jeu et les bars du village. C'est lui qui m'a appris à danser. J'ai gardé de lui le souvenir d'un excellent partenaire pour les jeunes filles qui adoraient se faire inviter par lui.

Aubert n'aurait pas compris si je lui avais avoué que c'était mon père, et surtout Marie, qui me poussaient à vouloir en connaître davantage sur mes origines. Je me demandais pourquoi mon père, si débordant de vie et d'assurance le jour, éprouvait de si grandes frayeurs la nuit.

Mon père était somnambule. Curieusement, il m'était encore possible d'entendre dans ses moindres détails, cette voix d'ombre et de nuit de mon père. Je me souvenais de son ton inhabituel, plus rapide qu'à l'accoutumée. Il me semblait qu'il récitait des litanies ou un texte appris par cœur. C'était bien sa voix et pourtant j'avais l'impression d'entendre celle d'un autre, celle d'un revenant. Je n'avais donc pas été le seul de la famille, ni le premier, à parler à haute voix pendant mon sommeil, comme je l'avais fait avec Marie.

Perdu dans ces réflexions, j'étais revenu sur le pont. A ma surprise, mon regard s'est arrêté un bref instant sur le corps de Sylvie, allongée sur une serviette de bain. Elle avait enduit sa peau d'une crème onctueuse. Grande, mince, blonde, âgée de seize ans, elle était rarement seule, Fernando ne la quittait pas d'une semelle. J'enviais Aubert d'avoir une fille, et belle de surcroît. Et lui, il aimait me narguer : « Heureusement que toi tu n'en as pas eu, tu serais sûrement incestueux. » Aubert savait que j'avais poursuivi de très longues recherches sur l'inceste, sur celui des pères avec leurs filles, ou sur celui des pères nourriciers avec les adolescentes dont ils avaient la garde.

Le traitement de ces jeunes filles incestueuses était particulièrement éprouvant. Victimes de viol, d'abus de toute sorte, c'était à moi qu'elles rendaient les coups. C'est tout juste si j'arrivais à les maîtriser. Elles étaient déchaînées. Coups, bosses, insultes, injures, bouderies, tentatives de suicide, fugues, j'encaissais tout. Je les aimais et les haïssais à la fois. Mais je continuais — pourquoi donc? — de les recevoir plusieurs fois par semaine, scrupuleusement, ponctuellement. Je leur ai consacré dix années de ma vie. Puis, n'en pouvant plus, j'ai quitté l'hôpital psychiatrique, les laissant derrière moi. Certaines m'ont rejoint à mon bureau privé. Je continue donc de m'occuper d'elles. Pourquoi ai-je besoin de garder le contact avec de telles adolescentes? Je ne le sais pas. Cela fait sans doute partie de ma folie.

Sans s'en rendre compte, Aubert touchait un de mes points sensibles, celui de mes rapports avec les jeunes, et plus particulièrement avec les jeunes filles. Avec les jeunes, j'étais loin de me sentir à l'aise. Rien n'était simple lorsque j'étais avec eux. Les relations n'étaient faciles et naturelles avec eux que seul à seul et dans le cadre de mes activités professionnelles. Grâce aux confidences que nous partagions, nos rencontres dans mon bureau privé devenaient spontanées et simples. J'étais le contraire d'Aubert. Autant il me reprochait d'entrer dans la vie privée des gens, autant il lui était facile de partager leur quotidien.

Concernant Sylvie, la situation était encore plus délicate car je ne pouvais plus m'illusionner au sujet des filles de cet âge. Rien n'est pur, bien entendu. Après plusieurs années, je m'étais rendu compte que tout ce temps que j'avais consacré au soin des adolescentes avait été loin d'être uniquement offert pour des motifs altruistes ou professionnels. Il y avait là quelque chose de mystérieux et d'énigmatique.

Cela m'amena à glisser quelques mots à Aubert sur Marie, ma patiente de longue date. Sans trop savoir pourquoi d'ailleurs, je lui appris que je m'étais beaucoup occupé d'elle et qu'avant le départ, j'avais reçu une lettre m'appelant à l'aide. Cela piqua sa curiosité. Aussi lui racontai-je que Marie avait du sang indien et qu'elle connaissait le langage des animaux. Mais de tout cela elle avait une indicible honte. C'était même là sa folie.

« Quoi ? m'interrompit aussitôt Aubert. Tu me dis qu'elle est folle ?

— Oui, elle est folle, mais c'est une folie bien spéciale. Une folie qui ne ressemble à aucune autre. »

Aubert me regarda, les lèvres serrées. Il ne comprenait rien à mon travail, à ces tête-à-tête avec mes patients, je le constatais une nouvelle fois. Aubert était un passionné, mais il gardait ses sentiments personnels pour lui. Quand il ne se sentait pas bien, il se terrait dans le silence. Voilà pourquoi il fut gêné d'entendre parler d'une si grande intimité entre Marie et moi. Cependant il me fallait en parler. Peut-être était-il terrifié par le seul mot de folie. Je n'insistai pas bien que Marie, j'en étais sûr, était le genre de femme qui aurait pu lui plaire. Tant pis. Cette conversation m'avait fait du bien.

III

Le maître

En lisant la lettre de Marie, je m'étais retrouvé en terre familière. Je n'avais pas oublié la Marie des années soixante. Il était évident que je la recevrais de la même manière et avec la même fréquence ; elle viendrait me voir cinq fois par semaine.

Je lui téléphonai dès le lendemain de mon retour de croisière. Elle vint me retrouver à dix-huit heures, le 16 juin 1979. Toujours aussi précise, elle se dirigea tout droit vers le deuxième fauteuil de cuir noir, pendant qu'à mon tour je m'asseyais face à elle. Marie regardait les arbres dehors par la grande baie vitrée. A l'exception de deux tableaux, la pièce n'avait pas changé depuis les dix années d'absence : il y avait un canapé bleu au milieu du mur, un long divan beige sous la fenêtre. A droite, enfin, entre ce mur et la porte, un petit secrétaire encombré de feuillets griffonnés et de ses cahiers noirs apportés dans les années soixante.

Ce n'était pas son regard qui avait fait lentement le tour de la pièce mais le mien.

Face à Marie je me retrouvais comme autrefois. Je devais parler le premier et trouver les mots qui, tout de suite, accrocheraient son attention. Pourquoi? Je l'ignorais, mais cela s'était toujours passé ainsi. Peut-être était-ce parce que Marie, se sentant démunie mentalement, préférait que je la prenne en charge dès le départ. Je savais qu'une fois la conversation amorcée les mots couleraient et iraient de soi.

Bien sûr, lui dis-je, l'événement le plus important avait été mon cancer de la gorge traité au cobalt cinq années plus tôt. J'avais beaucoup souffert pendant cette période. Était-ce parce que j'avais frôlé la mort de près? Je n'aurais su le dire. Maintenant j'allais mieux.

« Le cancer m'a peut-être sauvé la vie, lui avouai-je. On dirait que depuis, je suis devenu moins agité, surtout la nuit. » Puis j'enchaînai sur un rêve fait pendant la période du traitement et qui avait surtout retenu mon attention. Dans ce rêve, confiai-je à Marie, j'étais revenu à la maison de mon enfance et je voulais parler à mon père et à ma mère. Je le voulais à tout prix. Aucun mot toutefois ne parvenait à sortir de ma bouche. A la place, ce fut un geignement qui se transforma en un long hurlement de loup. Je

conservai intact dans ma mémoire ce hurlement à la mort.

« Je vous jure, ajoutai-je le regard fixé sur
Marie, j'avais la conviction que mon père, et
surtout ma mère, venaient enfin d'entendre
dans ces plaintes de loup — ces cris d'enfance —
ce que j'aurais voulu leur faire comprendre
depuis le début de ma vie. » D'ailleurs j'aurais
pu, pour Marie, reproduire facilement le hurlement du loup.

Marie me regarda, esquissa un sourire.
J'avais trouvé les mots qu'il fallait. La glace
était rompue, Marie commença à parler comme
autrefois mais j'étais perdu dans un autre souvenir; ma nièce m'avait téléphoné pour
m'annoncer la mort de son père atteint lui aussi
d'un cancer. Je m'étais attaché à cette nièce et
d'entendre sa voix me touchait d'une façon mystérieuse. Le silence, auquel nous étions habi-
tués, nous faisait du bien. Les deux derniers
jours avaient été durs pour son père : « Il gei-
gnait comme un enfant, avait-elle dit, et à tout
moment il traçait un signe de croix sur son pou-
mon gauche, à l'endroit de son cancer. Il souf-
frait le martyre. » Entre mon beau-frère et moi
existait une entente tacite, celle qui noue par
exemple deux athlètes décidés d'aller jusqu'au
bout d'eux-mêmes dans une compétition parti-

culièrement virulente. Nous avions mené tous les deux une lutte féroce contre le cancer.

En écoutant ma nièce, je n'étais toutefois plus certain de ma victoire. Peut-être même enviais-je secrètement mon beau-frère à cause du signe de croix qu'il traçait sur sa tumeur. Comme si mon beau-frère, après s'être battu comme un chien dans la vie, se soumettait enfin à une force, ou à un dieu, qui venait le chercher. Et ce dieu, c'était son cancer.

Marie délirait. Elle était redevenue folle. Elle me parlait des bruits, des sons très sourds qui s'amplifiaient petit à petit et qui faisaient éclater sa tête. Je n'étais nullement ennuyé de réentendre les mêmes hallucinations qu'autrefois et Marie me rassurait de nouveau. Comme dix années auparavant, elle m'affirmait que la plupart du temps ces bruits restaient à l'état de murmures.

J'écoutais, cette fois, mais le hurlement de loup que j'avais entendu pendant mon cancer ne me quittait pas. Ce jour-là, je lui remis la cassette contenant l'enregistrement du hurlement à la mort d'un loup, capté aux États-Unis. Le compositeur responsable de cette bande magnétique avait curieusement intitulé cet ensemble *The Wolf's Eyes* (« Le regard du loup »).

Le lendemain, à la même heure, je lui parlai de la ferme où ma femme et moi aimions bien nous retrouver à la moindre occasion. Je lui parlai de la passion de ma femme pour les oiseaux.

Marie avait écouté la cassette des hurlements du loup plusieurs fois. Elle s'en était même fait une copie. Elle m'avait écrit son propre rêve sur le loup qui remontait à son enfance. Elle me le remit, puis raconta ce qui l'avait obsédée toute la nuit précédente.

Elle avait la conviction qu'elle courait un danger imminent, celui de perdre graduellement toute identité propre au cours d'un processus irréversible où tous ses droits lui seraient supprimés un à un. On lui enlèverait surtout l'essentiel : *Elle n'aurait plus le droit d'être folle,* de cette folie particulière, signe de son appartenance à la lignée, au clan. C'en serait fini d'elle comme miroir et héritière de sa mère et de sa grand-mère, être fou bien sûr, mais être quand même. Le dilemme était bel et bien énoncé : ou bien Marie demeurait le reflet exact de sa mère et elle restait folle, malheureuse pour la vie, ou bien ce droit lui était enlevé et, ne se reconnaissant plus, elle cesserait d'exister. Elle ne comprenait pas d'où pouvaient lui provenir de telles pensées. Elle grelottait de froid et de peur.

Peut-être était-ce parce que la veille je lui avais annoncé que je partirais le jour même pour Paris. J'allais rejoindre mon ami et maître Winterman. Elle savait, elle aussi, que de la revoir en consultation me gênait et me mettait dans l'embarras, que cette aventure m'effrayait, tout en m'attirant au plus haut point. C'était à cause d'elle que j'avais décidé subitement d'aller revoir Winterman.

Marie savait tout sur lui. Elle savait qu'en 1960 il m'avait adopté comme son enfant alors que je poursuivais ma formation psychanalytique en France. Elle savait aussi qu'il serait surtout question d'elle.

Marie et moi avions déduit que mon absence, même de quelques jours, lui faisait courir un danger grave : je l'abandonnais au moment même où, alors que j'acceptais de la reprendre, elle misait tout sur moi et sur nos rencontres. Mais j'avais besoin d'aide, moi aussi, et c'était urgent.

Dans l'avion, j'avais ouvert son dossier. J'ai tout relu, ses lettres, son journal, les notes que j'avais moi-même écrites dans les marges. L'agitation intérieure qui s'était emparée de moi m'empêcha de fermer l'œil durant tout le trajet.

Arrivé à l'aéroport Charles-de-Gaulle, j'ai aussitôt téléphoné à mon ami Winterman. D'entendre sa voix calmante, souterraine, m'a fait chaud au cœur.

Soudain et sans raison, je commençais à avoir peur de Winterman, j'appréhendais ses réactions. C'était la première fois qu'un doute naissait en moi à son sujet. Ma confiance fléchissait, et voilà que j'allais le consulter d'urgence, en catastrophe presque.

« Il faut que je te parle sans faute d'une patiente qui est complètement folle de moi, lui dis-je précipitamment.

- Pourquoi ne viens-tu pas en parler demain, à mon séminaire? » proposa-t-il aussitôt.

J'étais d'accord. Je me demandais pourquoi il ne m'avait pas invité chez lui comme d'habitude. Mais avais-je le choix? Il fallait à tout prix que je le voie, que je lui parle, même en public. Je viendrais donc raconter l'histoire de Marie devant le groupe d'amis ou de disciples qui le suivaient depuis vingt ans.

J'avais été moi-même son premier élève. C'est lui qui m'avait appris mon métier. Il fut mon seul et véritable maître, car moi aussi je ne misais que sur une seule personne à la fois.

En arrivant à Paris, la première fois, il me fallut tout apprendre. Je ne connaissais rien des habitudes de ce pays. Personne n'était là pour m'accueillir. J'avais toutefois obtenu un poste d'interne à l'hôpital psychiatrique de La Salpê-trière et j'allais poursuivre en même temps ma formation psychanalytique.

Dès le début, je rencontrai Winterman qui décida sur-le-champ de me prendre en main. Il connaissait très bien les embûches, les dangers — « un véritable nid de guêpes » — de ce milieu professionnel. Il me fit travailler presque jour et nuit. Je lisais tout ce qui se trouvait sur mon métier et je dus commencer immédiatement à publier moi-même des articles. Winterman était un tyran, mais peut-être avais-je besoin de cette fuite totale dans le travail.

A ce rythme infernal, il est inimaginable que j'aie pu tenir le coup pendant quatre ans. Winterman m'a quand même sauvé la vie. Et malgré tout je m'étais bien intégré à la vie de Paris. Winterman venait dîner à la maison quatre soirs par semaine. Il venait de vivre une aventure désastreuse et c'est chez moi qu'il aimait se réfugier. Il est curieux aujourd'hui que j'affirme que c'est lui qui m'a sauvé la vie puisque en fait : qui prenait soin de qui ? et qui sauvait qui ?

Comment raconter cette situation qui était mienne à ce moment-là ? C'était vraiment comme si je vivais deux vies. Professionnellement, Winterman m'avait sous son aile et je m'en remettais totalement à lui dans l'apprentissage de mon métier. Lui, de son côté, répondait à ma demande d'une façon parfaite. Il n'hésitait jamais à m'aider, à m'apprendre, à me conseiller, non seulement dans les problèmes quotidiens que je rencontrais avec mes propres patients, mais aussi dans la façon de les élaborer, d'en faire des récits vivants, des contes, éventuellement des livres. Winterman, professionnellement, me comblait.

Comment pourrais-je expliquer cette incroyable dichotomie qui semble toujours avoir existé entre ma vie professionnelle et ma vie privée ? Malgré tout, c'était comme si Winterman m'avait vraiment adopté. Cela seul comptait pour moi.

A vrai dire, ce n'était pas la première fois qu'on m'adoptait ainsi. Depuis toujours, j'attendais que quelqu'un vienne à moi, me prenne en main et me guide. Je n'avais pas encore deux ans lorsque l'employé de la ferme de mon père, un dénommé Frank, me prit en charge. Il avait été le premier à m'adopter comme son enfant, le jour même où mon petit frère vint au monde.

Le lendemain je racontai donc mon aventure avec Marie devant le groupe de Winterman. Sans plan, je parlai de Marie pendant une heure, ne m'aidant que de quelques notes de son journal. L'épisode du téléphone décroché pendant quinze nuits les a surpris. Il eut l'effet d'un choc. Un autre élément qui les étonna tout autant fut le hurlement à la mort qui était sorti de notre gorge alors que Marie et moi nous nous trouvions dans un état de détresse particulièrement grande. Et c'est d'ailleurs sur ces deux points que Winterman allait me coincer. J'ignorais que je mordais à pleines dents à l'appât que je m'étais moi-même lancé.

Dans cet entretien à bâtons rompus, j'avais surtout insisté sur la propension qu'avait l'être de Marie à fuir de toutes parts, et c'est là que je leur avais lu la lettre de détresse dans laquelle Marie m'appelait au secours.

M'appuyant sur un extrait de son journal, je racontai la scène d'un lundi matin, quelque temps avant la période du téléphone décroché, où la mère de Marie m'avait appelé en catastrophe. Marie ne mangeait plus, ne dormait plus. Elle dépérissait. Elle montrait même les signes cliniques d'une grave déshydratation. J'allai lui rendre visite.

« *Je m'en souviens, je m'en souviens,* disait-elle dans son journal. *Docteur Bigras était dans le grand fauteuil. Je ne lui ai presque rien dit. Il parlait un peu avec ma mère. Pour moi, c'était comme une lumière qui rayonnait dans la chambre. Je sais qu'il est allé chercher une poire. Il a coupé la poire à l'aide d'une fourchette et d'un couteau. Il a mis un morceau de poire dans ma bouche. Je l'ai mangé.* »

Le rêve du loup de Marie, je l'ai lu très lentement. Il me semblait que pour vraiment le suivre l'auditoire avait besoin de beaucoup de temps. Je l'ai lu en entier. Winterman était là et à cause de lui j'avais abandonné toute protection, toute défense.

« *C'est drôle que docteur Bigras l'appelle comme ça. Moi aussi je l'appelle le rêve du loup. C'est le premier rêve dont je me souvienne. J'ai* dû le faire avant l'âge de quatre ans puisque nous n'avions pas encore déménagé.

« Un loup me poursuivait. Évidemment j'avais très peur et me sauvais. Le loup m'a rattrapée et m'a mordu la main. J'étais assise dans l'herbe et le loup était assis à côté de moi mais il ne relâchait pas ma main. Ses dents me serraient et je pleurais, pleurais. Tout à coup le loup m'a regardée, et dans ses yeux j'ai vu que quelque chose avait changé, comme si ses yeux étaient devenus ceux d'un humain, comme s'ils exprimaient la surprise et la peur. Et c'est à ce moment-là que je me suis rendu compte que mes pleurs avaient tourné en hurlements. Je hurlais à la mort, comme les loups dans la nuit, et je ne pouvais plus m'arrêter.

« Je suis incapable de traduire exactement ce qui a passé dans l'échange des regards entre le loup et moi. Mais, ce qui me frappe, c'est l'expression des yeux de ce loup. D'abord il eut une expression de doute, d'étonnement, puis de peur. Il avait peur, non pas du loup que j'étais devenue, mais de la métamorphose elle-même qui s'était produite devant ses yeux. Moi, j'ignorais ma transformation. Il a fallu que je le constate à travers ses yeux et que je m'entende hurler, pour comprendre que j'étais autre. J'étais un loup mais un loup en dedans. J'étais la *même. Comme moi, le loup n'avait pas perdu son aspect extérieur mais ce n'était plus un loup, je le sentais. »*

Ma conférence fut suivie d'un long silence. Pendant mon exposé j'avais remarqué, mais sans y prêter attention, que la femme de Winterman, assise au centre de la première rangée, ne réagissait pas comme d'habitude. Nulle affection dans son attitude ; son regard me semblait froid et dur. Était-ce parce qu'elle s'était de nouveau disputée avec Winterman avant le séminaire ? Ou était-ce à cause de moi ? Le silence se prolongea, menaçant, glacial. Winterman, qui présidait l'assemblée, se leva enfin et explosa. Pourquoi m'étais-je ainsi exposé en public, tout nu, sans abri ? « Décidément, tu ne sauras jamais interpréter les rêves, dit-il. Comment se fait-il que tu n'aies pas vu que la lettre de détresse de Marie, dans laquelle elle se montrait avec des mâchoires démesurément agrandies, était un prolongement du hurlement du loup qui était sorti de sa gorge alors qu'elle était toute petite ? Comment se fait-il que tu n'aies pas saisi ce qu'elle te demandait avec ses mâchoires démesurément agrandies, des mâchoires de loup bien entendu ! »
Me pointant du doigt comme un maître

d'école, il me somma alors de dévoiler dans quelle langue je m'étais exprimé lorsque j'avais fait mon cauchemar à haute voix.

« Je n'en sais rien, avais-je répondu.

— En hongrois, voyons ! Dans la langue de cet employé de ferme avec qui tu passais toutes tes journées quand tu étais petit. »

Dans la salle, les gens ne comprenaient pas. Effectivement il y avait là une petite histoire entre nous, puisqu'il connaissait très bien l'histoire de mon enfance. Frank, c'était vrai, ne comprenait ni le français ni l'anglais, et de surcroît il venait de Hongrie...

Winterman avait probablement vu juste dans son interprétation mais je ne comprenais rien, absolument rien à ses dires. Je ne voyais plus qu'une image, une vision infernale : Winterman, les yeux sortis de la tête, les mains s'arrachant les cheveux, les pieds qui trépignaient. Winterman, j'en étais convaincu, avait perdu le sens de mon exposé, de mon appel à l'aide, il voulait simplement que j'avoue publiquement que c'était lui, et lui seul, qui m'avait appris à interpréter les rêves. C'était vrai mais, face à sa réaction, j'étais complètement désemparé.

Je me sentais dépourvu, bon à rien. Winterman avait mis vingt ans à m'apprendre mon métier et il venait de constater, avec mépris, son échec total. Je me sentais encore plus dépourvu qu'avant cette conférence. J'avais éprouvé le besoin d'être aidé et je me retrouvais rejeté par celui-là même qui pouvait comprendre mon désarroi. Autrefois, le seul fait qu'il écoute suffisait à me mettre d'aplomb. Mais depuis, quelque chose avait sans doute changé entre lui et moi.

Face à cette violence, à l'irascibilité de Winterman, une forme de paralysie s'empara de moi, en même temps qu'un grand découragement, une remise des armes, un abandon de moi-même. Mon maître venait de me dépouiller de tout, mais surtout de ma souffrance, de ce qui justement m'avait lié à Marie si profondément. Comme les sorciers et les inquisiteurs, il avait exercé sur moi son droit de vie et de mort. Il aurait fallu que Winterman écoutât davantage.

Pire que tout : j'avais l'impression que Winterman ne pouvait saisir mon histoire avec Marie et qu'il ne pourrait plus jamais en connaître la véritable implication. Il avait fait montre d'un esprit vif, brillant et astucieux en articulant nos deux rêves du loup, celui de Marie et le mien, et surtout en interprétant son nouveau délire. Mais tous ces éléments, même bien articulés, n'en demeuraient pas moins des anecdotes.

65

Debout et armé jusqu'aux dents, c'est ainsi qu'il m'apparaissait aujourd'hui dans cette salle, — Winterman venait de m'exécuter à froid, sans merci et en public.

Ce furent mes adieux définitifs à Winterman. Je passai mes deux derniers jours en France cloîtré dans ma chambre d'hôtel à boire. Je voulais m'engourdir les méninges. Je buvais whisky sur whisky.

Ce soir-là, je ne dormis pas. Tout m'échappait, je ne comprenais plus rien. Les souvenirs fusaient de partout : ce rêve que j'avais fait au cours d'un séjour pendant les vacances d'été dans le château de Winterman en Bretagne et où je m'étais jeté dans le vide sous ses yeux et où j'étais mort sur le coup ; cet autre où j'étais devenu un pou parmi des millions de poux, tous dans la poussière ; puis je me rappelai toutes ces lettres, demeurées pour la plupart sans réponse, que je lui avais écrites et surtout ce livre, *l'Enfant dans le grenier*, écrit dans son château et où je racontais l'histoire de Frank. Ce livre, je l'avais écrit pour lui. Bref, dans ce désarroi défilait toute une tranche de vie partagée avec lui et sa femme. D'autres souvenirs surgissaient. A certains moments Winterman, par son regard, son écoute, son ironie, pouvait m'accueillir comme personne d'autre n'avait réussi à le faire. Avec son rire d'enfant surtout. A certaines de mes remarques, il riait aux éclats. Pendant ces moments de grâce, que j'ai toujours conservés en moi comme ce que j'avais de plus précieux, il n'y avait plus rien qui nous séparait. Comme Marie, Winterman savait, lorsque j'en avais besoin, dire les mots justes. Il lui arrivait également — mais c'était rare — d'écrire de magnifiques réponses à mes lettres. Celle-ci par exemple : « Tu n'es pas seul, me rassurait-il. Pas du tout. Tu es seul devant la mort, comme moi, comme tout un chacun, ce qui est différent. »

Pendant cette insomnie, je revoyais surtout les détails de sa personne, ses petites lunettes en croissant de lune, son air sévère, parfois méchant, parfois fripon, son regard « par en dessous » — sauf quand il était en colère — sa façon amusante de caresser sa pipe et de la polir soigneusement avec son grand mouchoir blanc.

Mais à présent, tout cela était fini.

L'engourdissement de mes facultés m'entraînait vers un tout autre ordre de pensées. Comme Marie, je ressentais en moi un impérieux besoin de liberté. J'étais soulagé de ce détachement imprévu et d'en être quitte avec Winterman. Qu'est-ce que je faisais là dans cette ville entre les quatre murs d'une chambre d'hôtel où je m'étais enfermé volontairement comme un ours en cage? Je n'étais pas à ma place, c'était évident. Mon pays était fait d'espaces, d'étendues, de forêts sans fin et de paysages sauvages. J'avais passé toute mon enfance dans les champs et les bois. Mais ce n'était pourtant pas uniquement mes origines paysannes qui me faisaient réagir de la sorte. Même au Québec, une sorte d'instinct animal m'attirait vers les forêts, les lacs, les rivières. Il m'était presque impossible de passer plus de cinq jours en ville, j'étouffais. Il fallait que je sorte, que je prenne le large. J'avais besoin d'éclater.

Pourquoi cette impression d'étrangeté en ce pays, la France, venait-elle soudainement de me tomber dessus? Tout aujourd'hui me semblait faux, surtout cette appartenance au clan des Winterman. Les Français aimaient m'appeler « l'Iroquois » et ça m'amusait. Mais plus maintenant, pas aujourd'hui. Dans l'état de demi-conscience où l'alcool m'avait plongé, ce surnom était devenu, soudainement, étrangement concret. « Malheur à qui se permettra de plaisanter à ce sujet », pensai-je en sentant la hargne monter en moi. La rage ne me quitta plus. Il y avait de l'iroquois en moi, j'en étais convaincu. Dans le brouillard de l'alcool, je tentais d'éclaircir un certain fouillis de ma vie, mais mes pensées allaient surtout vers Marie. Elle m'attendait, il ne fallait pas que je lui fasse défaut. Je serais fidèle au rendez-vous. Je comptais sur l'aide de ma femme pour me dégriser.

Tout devenait de plus en plus flou : des images de ma mère m'apparaissaient sans arrêt. Ma mère me tendait les bras. Je me laissais tomber dans le creux de son corps, comme s'il m'appelait, puis cette image disparaissait aussitôt et j'allais me ramasser sur un fauteuil ou par terre, je m'étais assoupi. Je me réveillai alors en sursaut, les murs bougeaient, je tremblais de tous mes membres. De peine et de misère je parvenais à retourner sur mon lit pour me rendormir aussitôt et je refaisais le même rêve : ma mère m'apparaissait, toujours offerte, mais toujours se dérobant.

Je me réveillai à l'aéroport de Montréal. Totalement abruti, chancelant sur mes jambes. Ma femme m'attendait. Elle ne m'avait jamais vu dans un tel état. Elle me mit au lit, puis téléphona à Aubert pour lui confirmer que nous le rejoindrions au bateau comme prévu le lende-

main. Elle s'étendit à mes côtés, sans se désha-
biller elle non plus. Elle pleurait.

IV

La morsure

Aubert, Sylvie, Fernando et Alexandre nous attendaient au train. L'accueil fut joyeux. Je n'avais pas changé de vêtements depuis trois jours et j'avais encore une très mauvaise mine. Aubert me tendit négligemment une liasse de documents dès que nous fûmes sur le bateau. « Tu trouveras tout sur tes origines dans ce paquet », me dit-il sur un ton détaché.

Mais Marie occupait toutes mes pensées. Je me mis aussitôt à écrire dans un des cahiers noirs achetés à la gare, les mêmes d'ailleurs que ceux qu'elle utilisait. Une idée m'était venue. Mes prochains écrits s'adresseraient à Aubert. Je me devais d'être précis, extrêmement précis. Je tenais à ce que mon « message » passe. Je voulais l'entraîner bon gré mal gré dans mon monde. Je commençai ainsi : Marie est grande et forte. Elle a une peau couleur de terre et des cheveux noirs lisses comme du crin de cheval. Elle est une reine de Hongrie. Je suis devenu sa proie, sa folie. Elle ne suit qu'une loi, la sienne, celle de sa race qui est peut-être aussi la mienne.

Je savais que je prenais un grand risque en me confiant à Aubert. Au début, c'était certain, il n'y comprendrait rien et se mettrait en colère. Je le connaissais. Avec les femmes, sa façon d'être était totalement différente de la mienne. Il me reprocherait de ne pas avoir fait ce qui convenait avec Marie.

Marie était la force et la violence. Elle avait aussi la fragilité du cristal. Tantôt elle me terrifiait, tantôt elle m'apaisait. Maintenant elle avait un nouveau problème. Son fils faisait des crises d'anxiété, le matin, au moment de la quitter pour l'école.

« *Au fond c'est simple,* concluai-je dans ce cahier, *son fils veut rester blotti contre elle sans jamais la quitter. Tout comme elle-même voudrait retrouver auprès de moi le nid qui lui a manqué.* »

Puis j'enchaînai sur mes angoisses personnelles concernant cette affaire. Elles étaient immenses, gigantesques. J'hésitais. « Tant pis ! me dis-je, je vais tout écrire. » J'avais besoin qu'Aubert vienne à mon aide, qu'il s'occupe de moi.

Ce même soir, vers minuit et demi, je demandai à Aubert de lire ces dernières lignes qui lui étaient dédiées. C'était comme si je désirais lui confier le sort de Marie. J'avais l'impression qu'Aubert était l'homme qu'il lui fallait, qu'il lui apporterait ce qu'elle attendait d'un homme.

Il lut avec empressement mes confidences. Sa colère fut dix fois plus forte que celle que j'aurais pu imaginer. Il me reprocha d'avoir abusé de la situation et d'en avoir égoïstement tiré profit pour moi seul, comme un « enfant gâté » (« et chiant en plus », cria-t-il). Il me traita d'imbécile, d'intellectuel à la con. D'après lui, j'aurais dû baiser Marie, point. « Quand une femme crie que ça lui fait mal en dedans, c'est là qu'elle t'attend. »

Selon lui, je n'étais « vraiment pas doué avec les femmes ». C'était même à croire que je n'avais pas de « couilles au cul ». La violence d'Aubert m'avait fait du bien. Elle avait été si puissante qu'elle m'avait sorti de ma torpeur. Il se produisit une sorte de décompression de mes muscles et de mes pensées. Je pus, le lendemain, participer normalement à l'animation du bateau.

Un chien ça mord. Entre autres. Ça fait plein de choses, un chien, et parfois ça mord. Je venais de m'en rendre compte avec mon fils Alexandre. Jusque-là, Alexandre s'était toujours tenu loin de moi. Avec moi, il se conduisait plutôt comme un enfant boudeur. Avec moi seulement. Car à l'école et avec les copains, il était enjoué, amusant, et même attachant.

C'était maintenant un jeune homme de quinze ans, aux cheveux châtains, très grand, vif, élancé, aux épaules carrées. Il avait la repartie drôle, rapide, mais trop souvent cinglante. Il espérait devenir comédien. Alexandre se montrait sur le bateau tout à fait charmant, même avec moi, son père. Je n'en revenais pas. J'en étais tout bouleversé. J'étais heureux. Je me sentais si bien, si léger. Nous étions tous les deux sur le pont à nous chamailler comme des gamins. Soudain, au cours de cette bagarre, je mordis le bras de mon fils. Impulsivement. Gratuitement. Ç'avait été plus fort que moi.

Alexandre fut surpris mais ne réagit pas. Il comprit sans doute que cette morsure en disait plus long que je n'avais voulu le laisser voir. Il me regarda dans les yeux, sans méchanceté, sans rancune. Dans sa réaction, je pus même déceler une certaine complicité. Alexandre venait-il de découvrir, enfin, que quelque chose pouvait vraiment se passer entre un père et son fils ? En tout cas, il semblait étonné.

Je ne comprenais pas pourquoi j'avais commis ce geste bizarre, que seuls les enfants en très bas âge se permettent, et encore on les « corrige » quand ils mordent, d'autant plus qu'ils font très mal avec leurs petites dents pointues. Et j'allais devenir singulièrement inquiet quand le lendemain, j'eus de nouveau ce geste incongru. Cette fois, c'est Sylvie que je mordis.

Pourquoi, au juste, ai-je mordu Sylvie, la fille d'Aubert ? Peut-être était-ce tout simplement parce qu'un corps de jeune fille de seize ans, en tout petit maillot de bain deux-pièces, ne peut faire autrement que de donner envie de le toucher, tellement il est ferme et attirant lorsqu'il sort de l'eau, tout ruisselant de gouttelettes.

Cela s'est passé alors qu'elle et moi étions étendus sur le pont. Elle se faisait sécher au soleil, paresseusement, langoureusement, comme les chattes lorsqu'elles nous accueillent le matin. Je regardais son ventre soyeux et dur comme une pêche de vigne et soudain je le mordis. Pourquoi diable Sylvie était-elle venue s'étendre tout près de moi?

Elle bondit comme un ressort. Ses yeux lançaient le feu. Je l'avais insultée, outragée. Elle ne dit rien. Mais c'était pire. Elle gardait sûrement sa vengeance pour plus tard, au moment où elle aurait tout son effet. La sûreté avec laquelle certaines femmes, les jeunes filles surtout, savent se venger m'a toujours étonné. Rarement elles manquent leur coup. Sur moi, en tout cas. C'est en cela que souvent je les envie, moi qui me perds dans la gaucherie, la culpabilité et la honte. Pourquoi diable m'étais-je encore jeté dans le danger?

J'avais cessé de penser, et peut-être même de respirer. Mon cerveau ne fonctionnait plus. La violence de Sylvie m'avait paralysé. Mon regard était rivé au sien. Intérieurement je tremblais: elle n'était pas prête à lâcher sa proie. Je ne la suppliais pas. Je ne lui demandais pas pardon. Je n'implorais pas sa pitié.

Dans ma tête, tout était confus mais je savais que je ne lui voulais aucun mal. J'avais sans doute répondu à une impulsion lointaine liée à un souvenir très vague. Sylvie quitta brusquement le pont.

Je restai pantelant, stupéfait, perdu en moi-même. Lentement, j'émergeais. Ce souvenir, petit à petit, commençait à se préciser. Je revoyais l'ami de mon père, un bûcheron qui, ayant subitement perdu la tête, avait asséné un coup de hache sur le crâne d'un de ses compagnons qui se trouvait avec lui dans un chantier de coupe de bois. « Sans aucune raison », avait ajouté mon père après avoir raconté la tragédie.

Qu'était-ce, ce monstre ? D'où provenait cette impulsion qui soudainement s'était emparée, sans crier gare, de cet être pacifique, ami de mon père, et avait fait de cet homme un meurtrier ? Étais-je devenu, moi aussi, un monstre ? Je venais de mordre le ventre d'une jeune fille de seize ans, la fille de mon ami, sur son bateau. Voilà la première pensée claire qui avait fini par se frayer un chemin dans ma tête encore engourdie.

« Oui, je suis devenu monstrueux, je suis devenu fou. » Mon esprit gambergeait. Tout n'était que contradictions. La blonde, la mince Sylvie avec ses grands yeux bleus, déjà un peu allumeuse, avait-elle tenté de me séduire en s'allongeant à mes côtés ? Avais-je, pendant ce court moment d'absence de pensées, éprouvé un désir fou de son corps ?

Non, je ne le croyais pas. Sylvie n'avait pas tenté de me séduire. Et même si elle l'avait fait, cela n'aurait été qu'un jeu, un jeu d'enfant. Mais moi la séduire ? La désirer ? Jamais.

« Mais alors pourquoi l'avais-je mordue ? Et fort en plus ? » Je sortais tant bien que mal de ma stupeur. Il fallait me préparer à un affrontement, au questionnaire qu'inévitablement allait me faire subir Aubert.

L'affrontement eut lieu le soir même au repas. Sylvie avait attendu que tout le monde soit là pour me provoquer.

« Puis-je te poser une question ? » commença-t-elle de son air langoureux.

Je baissai les yeux sans répondre.

« Pourquoi nous as-tu mordus Alexandre et moi ?

— Quoi ? s'exclama Aubert. Qui t'a mordue ?

— Lui », répéta-t-elle, en me pointant du doigt.

La garce. Elle souriait, contente d'avoir marqué un point, car la joute ne faisait que commencer. Je levai les yeux timidement et remarquai que le regard d'Aubert s'était durci. Et de voir la violence et l'épouvante monter en lui m'avait rendu violent moi aussi. Violent au point d'avoir envie de le tuer. La peur appelle la peur. Je n'avais toutefois pas le beau rôle. Je réussis à me retenir.

Je me tus et baissai de nouveau les yeux. Mais le silence était intolérable.

« Je ne l'ai pas fait exprès, avouai-je le plus piteusement du monde.

— Veux-tu bien me dire ce qui t'a pris ? répliqua Aubert. T'es devenu fou ou quoi ? »

Aubert craignait maintenant pour sa fille, je le sentais. Allait-il me surveiller, comme on surveille un chien dangereux, pendant tout le voyage ?

Ce fut de nouveau le silence. Un silence de mort. Je me rappelai l'avertissement de Marie : « Faites attention, docteur Bigras, vous risquez de devenir fou, vous aussi. »

J'avais raison d'avoir peur. Je mordais. Je m'étais mis à mordre les enfants. Perdu dans mes craintes, cette situation intolérable fut heureusement interrompue par notre arrivée au port. Une voiture nous ramena aussitôt à Montréal. Anne, silencieuse pendant tout le trajet, me serrait le bras.

Arrivé à la maison, j'allai directement dans ma bibliothèque. Je repris mon cahier noir. Je n'avais plus qu'une envie : écrire sans arrêt, pendant des jours et des jours. J'avais décidé d'annuler tous mes rendez-vous avec mes patients sauf ceux avec Marie. Malgré tout, il me restait une consolation. Ce dernier week-end n'avait peut-être pas détruit le rapprochement, si minime fût-il, qui avait eu lieu entre Alexandre et moi. De là où j'étais enfermé depuis plusieurs heures, j'entendais la musique bruyante provenant de sa chambre. Ses copains s'étaient réunis chez lui, comme ils le faisaient si souvent.

Alexandre me posait des difficultés insurmontables jusqu'ici. Je me croyais prêt à élucider l'énigme que sa présence avait causée dans ma vie. Dès le début, il connaissait, bien qu'à son insu, le désir fou que j'avais toujours eu d'avoir une fille. Alexandre aurait dû être cette fille et ces dernières années, il en était même directement conscient, l'ayant appris noir sur blanc.

Ce n'était pas sans déchirement que j'abordai cette violente question. Je voulais en mesurer l'impact, les effets qu'elle avait introduits entre nous. Une haine féroce était d'abord apparue d'une façon nette depuis quelques années. Aucun des deux ne plierait devant l'autre. Ce n'était pas une haine banale. Elle contenait une force mystérieuse.

Elle s'était surtout manifestée, au début, par une détermination de la part de mon fils à vouloir protéger, tel un fauve qui défendrait son territoire, les amies qu'il amenait à la maison de campagne, le week-end. Il ne supportait nulle intimité de ma part avec ces dernières, et encore moins ces familiarités déplacées et gauches dont j'étais capable par moments. Toute allusion, si minime fût-elle, à leur beauté physique, à leur apparence, provoquait chez lui une crispation aiguë et automatique. Son regard surtout me clouait sur place. Je sentis dès lors de sa part une opposition totale à ce genre de comportement. Je dus cesser toute remarque, tout geste équivoque à l'égard de ses amies.

Ce n'était pas seulement par soumission bête que je me suis mis à respecter cette exigence de mon fils. J'éprouvais même une certaine fierté devant l'implacable dureté de ce jeune homme. C'était là un élément qui m'était connu et qui provenait sans doute de très loin et qui peut-être même nous unissait malgré les apparences.

Alexandre s'était fermé comme une huître vers l'âge de douze ans, me tenant à l'écart de ses pensées et de sa vie privée. Face à moi il avait décidé de se comporter comme un dur de dur. On eût dit qu'il évoluait vers une identification exagérément virile.

Par contre, à d'autres moments, Alexandre pouvait manifester, bien que de façon passagère et fugace, une véritable tendresse à mon égard, comme il venait de le faire sur le bateau grâce à cette complicité qui était apparue entre nous. J'avais alors le sentiment qu'Alexandre me connaissait plus que quiconque et qu'il pouvait même comprendre le cœur de mon être. Sans que nous n'ayons à l'exprimer, il se produisait alors entre nous une rencontre aussi profonde, aussi indissoluble que celle qui avait uni Marie et sa mère.

Ce n'était plus, dans ce cas, une vie de marginalité qui l'attendait mais au contraire une vie où il aurait un sentiment d'appartenance, où il se sentirait bien dans sa peau et parmi les siens. Voilà ce que je considérais comme la partie féminine de son être. Malheureusement, Alexandre était porté à rejeter ces moments et ces lieux d'entente entre nous. Cette partie de lui, qui n'apparaissait que de façon ponctuelle, semblait rester inconsciente, exclue.

Je m'inquiétais pour mon fils. J'avais l'impression qu'il était habité par deux êtres anachroniques, inconjugables l'un à l'autre. Il me fallait à tout prix trouver les origines de ce déchirement qui n'était pas seulement sien mais qui me définissait moi aussi.

Sur ces réflexions, j'allai rejoindre Anne au

lit. J'avais hâte de reprendre, le lendemain, l'étude de tout cela.

V

Les ancêtres

A présent, plusieurs raisons me poussaient à connaître mes vraies origines. Ce qu'on m'avait raconté dans mon enfance au sujet de mes ancêtres ne rendait pas compte de cette anachronique violence que je retrouvais dans mes désirs et mes pensées les plus secrètes, ainsi que dans le comportement d'Alexandre à mon égard. Par ailleurs, je m'étais attaché à mon Iroquoise de Marie ; une même et profonde parenté semblait manifestement nous unir. Mais il y avait surtout un beau souvenir d'enfance qui me revenait à l'esprit. Je me rappelais de nouveau que, lorsque j'accompagnais mon père dans la forêt le dimanche matin, il aimait me montrer le monticule qui s'élevait au centre d'une clairière dans le bois. Autour, on pouvait encore apercevoir les restes d'une irrigation sommaire alimentée par un ruisseau un peu plus haut. Mon père était fier de m'indiquer qu'à cet emplacement les Indiens avaient autrefois cultivé du maïs. Cet endroit, pendant très longtemps, me tenait autant à cœur que s'il eût été un lieu de pèlerinage. Je n'aurais pu jurer qui, de moi ou de mon père, en tirait le plus de fierté. Enfant, j'y revenais souvent avec mon chien. C'était aussi sur ce button que j'avais découvert, avec une petite fille du voisinage, les secrets de la sexualité.

Pourtant, dans la légende, il n'avait jamais été question d'une parenté, même lointaine, avec les Indiens. Mon père était le seul de la famille à penser, presque en secret, que la vie des Indiens ne lui était pas étrangère. Il ne partageait pas l'orgueil de ses frères, de son père, de ses oncles d'après lesquels les Bigras du début de la colonie auraient été les vrais défricheurs-colonisateurs de tout l'ouest de l'île de Montréal et de l'île Jésus. « Le *West Island*, racontait-on dans la famille, c'est nous qui l'avons conquis. »

C'est ainsi que je me mis à lire, relire, constituer et reconstituer l'histoire de mes ancêtres depuis le début de la colonie. Je savais déjà toutefois qu'Aubert n'en avait retenu qu'un aspect. Heureusement, il m'avait laissé les documents. Je compléterais moi-même les recherches pendant ces quelques jours où je resterais enfermé dans ma bibliothèque. Je pourrais même, au besoin, m'adresser à un autre historien que je connaissais et qui travaillait lui aussi aux Archives nationales du Québec.

D'après le rapport d'Aubert, les Bigras sont venus tardivement au pays. François Bigras, le premier de la lignée, arriva en 1682, à l'âge de vingt ans. C'était un romantique, un solitaire venu de La Rochelle. Il avait reçu une bonne éducation en France et aurait pu avoir un bel avenir au pays. Au lieu de garder ses emplois, comme clerc de notaire, il se lia très tôt aux Brunet, des gens louches, criblés de dettes. Il épousa Marie Brunet, une gamine de la famille, et tout de suite il suivit la trace des Brunet, tous coureurs de bois.

Le nombre de contrats, de procès — le dossier qu'avait apporté Aubert comprenait d'ailleurs les photocopies de tous les documents — ne laissait aucun doute sur la vie de paria que vécut François Bigras. Ses descendants suivirent ses traces. Tous des buveurs, des coureurs, incapables de prendre racine. Installés à l'ouest de Montréal, à Lachine plus précisément, ils n'y demeuraient que quelques jours par année, le temps de se saouler, de s'envoyer en l'air avec les prostituées de leur petite bourgade, de dépenser leurs gains en extravagances de toute sorte, de rendre leur femme enceinte, et ils repartaient aussi sec en voyage sur les routes de l'Ouest : et vive les petites sauvagesses qui les attendaient là-bas! Plusieurs d'entre eux, d'après Aubert, vivaient, à certains moments, comme de véritables bêtes avides d'une seule chose : la jouissance sexuelle.

Du côté des femmes, ma première ancêtre, Marie Brunet, s'était installée en 1691, dès son mariage avec François Bigras, à l'âge de treize ans, dans cette même région de Lachine. L'endroit était le plus mal famé et le plus dangereux de toute la colonie. C'était là qu'avait eu lieu, en 1689, le fameux massacre historique (soit deux ans avant que Marie s'y soit fixée) au cours duquel des Iroquois avaient tué en une nuit une cinquantaine de Blancs, éventré les femmes enceintes et mangé sur place les enfants qu'ils avaient fait cuire. Lachine était le poste frontière le plus avancé en terre ennemie, un lieu d'échanges de toute sorte. La réputation des Bigras était si mauvaise qu'il fallut attendre plus d'un siècle et demi avant qu'un seul d'entre eux ne se présente à un poste de marguillier, et encore se fit-il battre à plate couture lors de l'élection.

Et cette légende qui disait que les Bigras, les fameux Bigras, avaient colonisé tout l'ouest de l'île de Montréal et de l'île Jésus, cette légende que personne n'aurait mise en doute dans toute la région ? Eh bien ! elle était fausse, elle aussi. Les Bigras n'avaient rien colonisé du tout. Ce n'est que vers 1780 que deux femmes Bigras, Marguerite et Marie-Amable, ont décidé de quitter l'ouest du pays et de s'installer au centre, à Saint-Martin, en plein cœur de l'île Jésus. Ce sont elles les premières qui y ont cultivé la terre, qui y ont mis à profit des fermes en partie défrichées.

Chez les hommes, il en fut ainsi toute leur vie durant et de père en fils. Et pendant ce temps-là, les enfants Bigras mouraient comme des mouches. Le taux de mortalité infantile était anormalement élevé, en comparaison de celui des familles sédentaires. Le manque d'hygiène et de soins élémentaires était la cause principale des décès.

J'en avais des frissons dans le dos. C'était donc eux mes ancêtres. Il n'y avait plus de doute possible. Les Bigras, tous les premiers Bigras, n'étaient qu'une bande de parias, de voyous.

L'arrivée de mon arrière-grand-père — c'était donc tout à fait récent — changea de fond en comble le destin de la famille. Même « sourd-muet », ce que d'ailleurs un notaire avait mis en doute dans un des documents, il était le plus fin conteur de toute la région. Il était instruit, lisait beaucoup. Il avait reçu une bonne éducation. Je savais personnellement, parce que mon père me l'avait dit, qu'il était en outre un habile maraîcher et que partout on le respectait. Ce serait donc grâce à lui que ce revirement s'était produit chez mes ascendants. Les Bigras étaient devenus influents et prospères. Par contre, la plupart de ceux que j'ai connus, parmi mes oncles et mes grands-oncles, étaient durs, autoritaires, hautains, intransigeants et froids, voire même méchants.

Cette histoire cruelle et violente est sans doute juste, me dis-je, mais elle est pleine de lacunes. Et Aubert avait volontairement laissé des blancs un peu partout, j'en étais certain. Il me fallait donc revoir tous les documents. Comment ces coureurs de bois se comportaient-ils en voyage? Aubert n'avait rien dit sur leur vie dans les bois, le long des lacs et des rivières. Ensuite, je voulais savoir de quoi avaient l'air les premières Bigras de ma lignée. Enfin les Bigras, surtout les récents, n'ont sûrement pas tous été aussi durs et cupides puisque l'arrière-grand-père et mon père, que j'ai personnellement connus, et pour ne nommer que ceux-là, n'avaient laissé derrière eux que de beaux souvenirs.

Les ancêtres

Je décidai de réexaminer les documents. J'étais persuadé qu'Aubert avait délibérément choisi de ne pas fouiller en profondeur la vraie nature de mes ancêtres.

D'abord j'appris que mes premiers ancêtres étaient toujours assignés au gouvernail et que c'était même eux qui enseignaient le métier de coureur de bois aux nouveaux venus. Ils connaissaient par cœur les routes de navigation et leurs réflexes avaient la vitesse de l'éclair. A toute heure du jour et de la nuit, ils devaient affronter des dangers mortels, la noyade, les embuscades sournoisement préparées par les Iroquois. Faire naufrage, se faire scalper, échouer leurs canots sur les rochers, constituaient pour eux des risques quotidiens : ils connaissaient tout des lieux autant que les Indiens, ils savaient tout de leurs habitudes. Ils s'étaient approprié la science indienne. Rien ne leur était étranger : imiter parfaitement les cris des animaux, repérer les loups d'après leur hurlement, différencier les chants des oiseaux, prévoir les mouvements migratoires des canards, des oies sauvages et des outardes. La direction des vents, les courants des fleuves, la position des étoiles et de la lune n'avaient pas de secret pour eux. Ils se montraient aussi habiles que les Iroquois à négocier, à jouer au plus malin. Évidemment, ils parlaient couramment leur langue, d'autant plus qu'ils devaient gagner leur confiance afin de séduire les jeunes filles, les petites Indiennes.

J'étais très ému. J'aurais passé des jours et des jours à reconstituer cette vie rude dans les bois, le long des rivières et des lacs. Cette vie de totale liberté.

Je me rappelai alors le rêve du loup de Marie, et celui que j'avais fait moi-même. Marie et moi, c'était évident, provenions de la même lignée. Comment se faisait-il que le chant du loup ait été inscrit en nous depuis si longtemps et que ce soit lui qui nous ait fait nous rencontrer, à notre insu, dans la même descendance des coureurs de bois ? Ce rêve du loup, je m'en rendais compte, faisait partie de notre héritage le plus ancien, le plus précieux, à Marie et à moi.

Je me demandais en même temps — et Marie se posait aussi la même question, comme le confirme son journal — si son appartenance indienne n'était pas secrètement responsable de cette force, de ce désir incontrôlable de liberté.

Ces ancêtres étaient en outre d'excellents conteurs et les jeunes du village écoutaient leurs exploits dans les pays sauvages. Il n'en restait pas moins, je le répète, qu'il fallut deux siècles avant qu'un seul d'entre eux, mon arrière-grand-père, pût redorer le blason de cette famille damnée.

Quant aux premières femmes de ma lignée, ma surprise fut encore plus grande lorsque je réussis à fouiller à fond les documents les concernant.

Il y eut deux sortes de femmes Bigras, en comptant les nombreux remariages. D'abord les fragiles, les tendres : elles ne devaient pas être nombreuses puisque, la vie étant ce qu'elle était à ce moment-là, elles ne vivaient pas longtemps, tout comme les enfants d'ailleurs.

Ensuite, les dures, les fortes : Marie fut la première. Ces femmes devaient manier le fusil, couper le bois, tuer le cochon et chasser le gibier. Elles savaient sûrement se battre contre tout Blanc ou tout Peau-Rouge qui se serait avisé d'abuser d'elles, mais elles faisaient aussi l'amour quand bon leur semblait et avec qui elles en avaient envie. Bref, ces femmes, celles qui purent résister, étaient de celles qui font la loi, leur loi.

Je n'en revenais pas : je retrouvais en elles le portrait exact de ma patiente.

Ces femmes assuraient elles-mêmes la sauvegarde de leur maison — ou plutôt de leur cabane. Les enfants apprenaient très tôt à se débrouiller et à ne compter que sur eux-mêmes. Dès l'âge de dix ans, les filles étaient offertes pour une bouchée de pain aux marchands comme bonnes à tout faire, puis mariées d'office vers l'âge de quatorze ans, tandis que les garçons ne rêvaient que du jour où viendrait leur tour de prendre la route de l'Ouest.

Voilà quelle était mon histoire et celle de mon fils Alexandre. Oui, mon fils me ressemblait. Tous les deux, nous étions condamnés à continuer la lignée — maudite selon Aubert — de cette famille marginale.

VI

La langue étrangère

Marie était là devant moi. Lorsque je la revis à mon retour de France, j'avais une hâte folle de lui rendre compte de ce qui s'était passé à Paris et surtout des violentes attaques de Winterman. J'imaginais déjà la réaction de Marie. Cette tigresse, j'en étais sûr, allait sauter sur Winterman, le pourfendre, le mettre en charpie. Elle ne supporterait pas qu'une personne étrangère ait prise sur moi et encore moins sur ce qui se passait entre elle et moi.

Mais à ma surprise, c'est elle qui parla la première. Elle me remercia de lui avoir prêté avant mon départ *Et l'une ne bouge pas sans l'autre*. Dans ce petit livre, une fille raconte l'union déchirante qui la lie à sa mère. Elle me montra un passage qui l'avait beaucoup touchée :

« *C'est le matin, mon premier matin. Bonjour. Tu es là, je suis ici. Entre nous, tant d'air, de lumière, d'espace à nous partager. Je ne trépigne plus. J'ai le temps maintenant. »*

Effectivement, quand Marie me dit bonjour ce matin-là, il y avait une lumière dans ses yeux, comme si elle apportait avec elle un peu de la fraîcheur de son jardin et de ses fleurs.

Un peu plus loin, elle avait relevé ceci :

« Le jour se lève. J'ai faim. J'ai envie d'avoir des forces pour marcher. Pour courir toute seule au loin de toi. Pour aller vers ce que j'aime. »

Puis, terminant par cette image, elle se réfugia dans le silence, l'œil interrogateur.

Je lui relatai l'incident de Paris. D'après Winterman, lui dis-je, ce serait en hongrois que je me serais adressé à elle dans mon cauchemar.

« Mais qu'avez-vous, Marie ? m'interrompis-je en voyant qu'elle venait d'ouvrir tout grands ses beaux yeux verts.

— Rien. Continuez », insista-t-elle.

Je lui parlai de Frank. Je passais mes journées entières avec cet employé de mon père. Il m'avait adopté comme son enfant à la naissance de mon frère, probablement parce que lui-même se sentait seul dans ce pays où il venait tout juste d'immigrer.

102

« Parlait-il français ? me demanda Marie.

— Non.

— Anglais ?

— A peine. »

J'ignorais ce qui venait de se passer, mais toute ma colère envers Winterman était tombée. La conversation avec Marie était pleine de tendresse. Le souvenir de Frank me revenait intact, aussi frais que le passage du petit livre qu'elle m'avait lu en entrant. « Frank et moi n'avions pas besoin de parler. Mais il est mort d'un accident quand j'avais cinq ans. »

C'était maintenant au tour de Marie de m'interrompre. Elle était bouleversée :

« Winterman a tout à fait raison, me dit-elle. Je ne vous ai jamais dit que c'était une langue étrange que j'avais entendue au téléphone. Je vous ai répété mille fois que c'était une langue étrangère, une vraie langue, parfaitement cohérente. Je parle d'expérience, puisque je sais très bien ce qu'est une langue incohérente pour l'avoir entendue si souvent chez ma mère. La vôtre était cohérente, mais elle ne ressemblait à aucune langue ou dialecte que je connaisse. »

D'après la sorcière Marie — qui curieusement semblait faire bon ménage avec Winterman bien qu'elle l'eût aussitôt oublié, si grande était sa stupéfaction — j'aurais appris, dans ma tendre enfance, quelques mots de la langue hongroise et ce serait dans cette langue, miraculeusement retrouvée, que je me serais adressé à elle. Si Marie réagissait si bien, c'est parce que toute cette question de la langue s'était enfin éclairée. C'est ainsi que le soir même elle relatait cet incident.

« *Si docteur Bigras, après avoir été abandonné par sa mère à l'âge de un an et demi, a passé toutes ses journées avec Frank qui ne parlait ni français ni anglais, il est bien évident qu'il a enfoui au fond de lui des notions de hongrois. Ne serait-ce que par les chansons que cet homme devait lui chanter — on chante toujours pour les enfants, surtout lorsqu'ils sont petits. D'ailleurs il a dû avoir une peine incroyable quand il a perdu son ami, à l'âge de cinq ans, et du même coup la langue hongroise. Cette langue étrangère leur était exclusive à tous deux, exclusive à leur affection puisque Frank l'avait adopté alors qu'il avait à peine un an et demi.*

« *Il n'est pas étonnant que docteur Bigras ait retrouvé la langue hongroise pour me dire, à moi, rien qu'à moi, que ce que je vivais ne lui était pas étranger. Cette langue, qui était restée pour lui celle du sauvetage et du dernier recours, lui remontait au cœur et aux lèvres face à ma*

*propre détresse. En un sens, j'avais dû réveiller
sans le savoir ce qui restait de Frank en lui.*

*« Quant à moi, ce n'est pas un ami qui m'a
adoptée, c'est un chien. Mais au fond qu'est-ce
que ça change ? J'ai fait comme docteur Bigras.
J'ai appris à parler chien. Et là aussi il s'agit
d'une vraie langue. »*

Je lisais et relisais cette page de son journal.
Autant le commentaire de Winterman m'était
apparu confus, incompréhensible, autant l'explication de Marie m'était transparente. D'où pouvait bien venir la confusion qui s'était emparée
de moi au moment où Winterman avait crié que
je m'étais adressé en hongrois à Marie pendant
mon cauchemar à haute voix ? Je parcourais de
nouveau la page de Marie et de plus en plus je
retrouvais Frank, le vrai Frank en chair et en os
de ma petite enfance. Même les détails de son
existence, sa politesse, sa prévenance à l'égard
de ma mère, et surtout ses deux bras grands
ouverts dans lesquels je me jetais du haut du
marchepied arrière du tombereau, dans les
champs, ou du haut du balcon, à la maison.
Pour Frank, je me serais jeté du haut de la dernière branche de l'érable : il n'avait qu'à ouvrir
les bras, je sautais. Il n'avait qu'à prononcer
mon nom — ce n'était pas mon vrai prénom, il

en avait inventé un autre — et je sautais. Je me souviens qu'à ce moment-là il me serrait très fort contre lui.

Je commençais à comprendre quelque chose au sentiment de catastrophe qui m'avait atterré dans trois, ou plutôt quatre moments de ma vie. Enfin, je pouvais retracer la logique des événements.

Premièrement, à la naissance de mon petit frère, aucune alternative ne s'était présentée à moi. J'étais laissé pour compte par mes parents et je n'avais d'autre issue que la chute dans le vide. Par hasard Frank, l'employé de la ferme, en profita pour m'adopter et, ce faisant, me sauva la vie. Grâce à lui et par lui, j'existais. Il m'avait apporté la vie, l'être et la vraie langue. Lui et nul autre.

Deuxièmement, à l'âge de cinq ans, je perdis Frank et, par conséquent, toute protection. Sa mort avait mis ma vie entre parenthèses. J'étais exposé au perpétuel danger qu'un autre prenne la place de Frank. Cette place restait vide. Je me serais donné à n'importe qui, pourvu qu'on sache s'y prendre.

Pendant mon adolescence, au début de mes études de médecine, j'avais failli me laisser séduire par le jeu d'un maître penseur. Cet homme dirigeait un mouvement politique de gauche à Montréal. Ce n'était pas le mouvement politique qui m'attirait mais plutôt ce leader lui-même auquel je vouais une vénération aveugle. Il exerçait une fascination telle sur ses jeunes disciples que la majorité d'entre eux en perdaient toute identité propre. C'était une sorte d'hypnotisme de groupe. Ses admirateurs adoptaient ses expressions, ses idées, le timbre de sa voix, ses tics. Il existait même un petit comité privilégié élu par le maître, dont le mimétisme était presque total.

Un jour, une violente altercation survint entre lui et moi. Après le visionnement d'un film nous avions été d'avis contraire. Le maître démontra le bien-fondé de son point de vue en me dénigrant ouvertement. Je tremblais intérieurement, non pas de peur mais d'une honte inexprimable. Ayant dû dormir chez lui cette nuit-là, je fis un curieux cauchemar : j'étais étendu sur le dos dans un petit lit étroit. C'était la pénombre. J'aperçus le maître au pied du lit, les deux bras ouverts, ses mains faisant des signes d'appel dans ma direction. J'étais paralysé, impuissant. Soudain, je vis mon âme — aujourd'hui je dirais mon être — répondre à l'appel du maître. Légère et translucide, elle se détachait de mon corps, comme si celui-ci se dédoublait. Le corps de chair et d'os restait cloué au lit par le poids de sa matérialité tandis que l'âme, elle, s'en séparait, mue par un appel irrésistible. Elle était dressée, tendue, offerte à l'appel du maître, ouverte comme des bras. C'est alors que je ressentis dans mon corps physique une déchirure à la poitrine, juste derrière le sternum. Je criai si fort que je réveillai la maisonnée. Le maître et sa femme accoururent et allumèrent la lampe. Je ne sais si j'avais l'air hagard, mais j'ai vu dans son regard une peur que je ne rencontrerais plus tard que chez les « mystiques » ou chez les fous. Le lendemain, avant le lever du jour, je quittai la maison. Je ne revis jamais ce maître de mon adolescence.

Finalement se produisit l'aventure avec Winterman, qui s'apparente tout autant à la rencontre avec Frank qu'à l'impasse qui me poussait dans les bras du maître penseur. Winterman m'avait certes fait un bien énorme. J'avais trouvé, chez lui et chez sa femme, un foyer. Mais le jour de ma conférence, Winterman s'était conduit comme le maître penseur de mon adolescence. C'en était donc fini de lui. A jamais. Mais je ne m'en rendais pas encore tout à fait compte.

La langue étrangère

Maintenant, Winterman venait de disparaître à son tour, au profit de nulle autre que Marie. Comment Marie s'y était-elle prise pour réussir un tel exploit ? Savait-elle ce qu'elle faisait en provoquant cette substitution ? Elle le savait peut-être, puisque de son côté l'être de sa mère, cet être dont elle avait absolument besoin pour vivre, était déjà passé tout entier dans ma personne. Le phénomène lui-même, la faculté de substituer un être à un autre, lui était déjà familier. Elle avait réussi à transférer en moi tous les dons et pouvoirs antérieurement attribués à sa mère, et ceci sans que sa mère ne s'en aperçoive. Il ne fallait surtout pas qu'elle le sache car elle aurait aussitôt fait une autre crise de folie. Comment Marie se serait-elle alors défendue contre la louve aux dents longues que pouvait devenir sa mère ? Marie, je le répète, savait tout d'elle. Autant sa mère pouvait se transformer, en l'espace d'un éclair, en une louve prête à tuer et à dévorer, autant le reste du temps, lorsqu'elle était calme, elle se conduisait en petite fille fragile et sans défense. Elle pouvait éclater en morceaux à la moindre menace, et celle de voir Marie se libérer d'elle était la plus grave de toutes.

C'était justement ce danger qui, selon Marie, menaçait Winterman. Elle avait tout de suite compris que Winterman était encore plus en danger que moi-même puisqu'il était évident que j'allais me libérer de lui. Elle le savait d'autant plus qu'elle n'attendait que cela. Bref, elle avait déjà préparé et réchauffé le nid dans lequel elle allait me recevoir et m'accueillir. C'était donc pour me protéger et par prudence élémentaire qu'elle n'attaqua jamais Winterman en ma présence.

Elle avait raison. Winterman avait, lui aussi, besoin de moi mais cette idée ne m'était pas venue à l'esprit le jour de ma conférence à Paris. J'avais complètement oublié que Winterman, comme Frank d'ailleurs, m'avait adopté comme son enfant au moment où lui-même se trouvait dans un état de détresse particulièrement grande. La violence de Winterman venait donc de sa très grande fragilité et surtout de son incapacité à me perdre.

Ce fut notre sujet de discussion avec Marie pendant les deux premières rencontres qui suivirent mon retour de Paris. Les entretiens se déroulaient bien. Nous avions retrouvé une certaine joie, celle d'être de nouveau à deux. Pour Marie la vie suivait son cours. Je lui parlai également des recherches que je poursuivais au sujet

110

de mes ancêtres. J'étais sur le point, lui dis-je, de faire d'importantes découvertes qui peut-être même la concerneraient elle aussi.

Mais Marie avait de son côté beaucoup de choses à raconter. Sans doute était-ce la violence de Winterman qui avait ravivé le souvenir — la hantise plutôt — des bizarres attaques de folie que sa mère avait commencé de lui faire à peu près à la même époque que celle du rêve du loup. Soudain, sa mère perdait tout contrôle et s'accrochait au corps de Marie. Dès ce moment plus rien ne pouvait l'arrêter. C'était devenu une fatalité. La mère agrippait la fille et la jetait par terre en l'entourant totalement de ses bras et de ses jambes. La mère secouait de toutes ses forces la fille, tout en la tenant prisonnière, et se roulait par terre en poussant des cris et des hurlements.

Pourquoi, se demandait Marie, ces moments où sa mère se jetait par terre avec elle lui revenaient-ils en mémoire aujourd'hui avec autant de clarté et de précision ?

« Il me semble entendre encore sa voix, ajouta-t-elle, si on peut appeler ça une voix. J'ai honte de raconter ça et j'avais honte aussi quand maman se roulait comme cela avec moi.

J'ai l'impression qu'elle ne devait pas faire ça quand il y avait quelqu'un d'autre. »

En l'écoutant, je me suis souvenu de la violente réaction de Winterman qui me reprochait de n'avoir pas vu que c'était en tant que louve enragée que Marie s'était adressée à moi dans sa lettre de détresse. Il était évident que sa mère ne devait sûrement pas faire cela devant les autres. Marie avait honte, et pour cause, de raconter cette incroyable scène d'accouplement qui n'a cours que chez les animaux, et encore chez les plus dangereux, les lions et les tigres.

« Est-ce possible ? Est-ce croyable ? » pensais-je. Je découvrais désormais que les mâchoires qui s'agrandissaient démesurément ne constituaient pas une figure de style mais bien la vision diabolique du visage maternel pendant les crises, vision troublante et fascinante, et surtout qui avait été vécue telle quelle par une petite ogresse et sa monstrueuse mère, l'une enroulée dans l'autre, toutes dents sorties, tant au seuil de la jouissance extrême que de l'éclatement total.

VII

La femme-sorcière

Le maître Winterman n'avait pas échoué seulement avec moi. Son déclin était devenu inévitable, sans doute parce qu'il s'était beaucoup trop fié aux femmes qui l'entouraient, à la sienne en particulier. On lui faisait la cour en raison de son vaste savoir. On était également sensible à ses charmes. Mais au fond, il était toujours resté enfant, dépendant totalement des femmes qui l'adulaient.

C'est ce que ma sorcière de Marie avait saisi. Connaissant la puissance du nœud qui l'avait enchaînée elle-même à sa propre mère, elle soupçonnait qu'il y avait sûrement une autre personne dans l'entourage de Winterman qui détenait les ficelles, le vrai pouvoir. Moi, j'avais ma sorcière et c'était Marie. Winterman, selon Marie, devait bien, lui aussi, avoir la sienne.

Nous ne pouvions plus compter Marie et moi sur le calme qui s'était établi entre nous. Cette harmonie si douce, je devais bien m'en rendre compte, ne pouvait durer longtemps. Elle existait, oui, mais elle avait son envers.

J'éprouvais contre Marie des colères inexplicables. Peut-être étaient-elles liées à la peur d'être totalement assujetti dans cette histoire de femme-sorcière, tout comme le serait d'ailleurs Winterman lui-même. Ces crises surgissaient de ma part sans aucune transition, aussi soudaines qu'incongrues, et prenaient Marie par surprise, au moment où elle s'y attendait le moins. Elles provoquaient en elle par voie de retour la même réaction violente et subite. C'était pire que de la colère. Et il n'y avait que moi pour mettre Marie dans de tels états. Cela se rapprochait peut-être de la rage, mais pas tout à fait, car à cette rage se mêlait une impuissance totale. Comme si tous nos moyens, à elle et à moi, nous étaient tout à coup enlevés et que nous nous trouvions devant une urgence terrible.

Elle ne percevait pas au juste ce qui devenait si pressant. L'urgence était-elle de trouver les mots qui auraient pu arrêter la montée de la tempête. Il lui semblait qu'il y aurait un danger réel, physique, si elle n'arrivait pas à mettre un terme à cette escalade, à cette flambée de violence, autant chez moi que chez elle.

« Je ne crois pas me tromper, me faisait-elle remarquer après coup ; vous aviez perdu le contrôle et étiez aussi impuissant que moi, cette fois-là, et vous aviez aussi peur que moi. »

Cela devait d'ailleurs se produire de nouveau et provoquer, encore une fois, tout un branle-bas. A brûle-pourpoint, je me souviens de m'être levé au beau milieu d'un entretien et de lui avoir crié : « Bon, partez, retournez chez vous. » Sous l'effet de la surprise, si Marie ne s'était pas retenue, elle aurait tout renversé dans la pièce, tellement elle était submergée de rage. Et peut-être plus.

J'avais été incapable de me contrôler et je ne savais pas ce qui m'avait pris. Je me trouvai si durement secoué par ce déferlement de violence qu'une agitation fébrile s'empara de moi. Impossible de m'endormir cette nuit-là : à quatre heures et demie du matin, je me levai et j'avalai, coup sur coup, deux whiskies bien tassés.

Je me recouchai et m'endormis aussitôt. Je ronflais si fort, mon corps était agité par de tels soubresauts, que ma femme dut me réveiller plusieurs fois. Vers le matin, je finis par me calmer et je fis un mauvais rêve.

« Était-ce vraiment un rêve ? » me demandai-je au réveil, tant il avait les attributs du réel. En fait, c'était plus qu'un rêve. J'avais vu se dérouler, sous une autre forme bien sûr, l'histoire cruellement réelle de la crise qui s'était produite entre les Winterman et moi lors de mon dernier séjour à Paris. J'avais hâte de raconter à Marie ce que je venais de revivre dans mon sommeil. Je pressentais que ce cauchemar allait me révéler les raisons de l'incroyable rage dont, la veille, Marie avait été témoin et victime. Il me semblait qu'il avait rendu tangibles et concrètes les explications de Marie sur ce qui s'était passé lors de mon dernier séjour à Paris.

« Vous connaissez les Winterman ? » lui dis-je, alors qu'elle était déjà au courant de toute l'histoire que j'avais eue avec eux.

Oui, elle savait que j'avais fait partie de leur maison, et que je passais mes vacances d'été dans leur château au bord de la mer, habitude

que j'avais conservée même après m'être installé à Montréal.

« Marie, suppliai-je sur le ton d'un appel au
secours, je ne suis pas encore sorti de ce cauchemar. Pouvez-vous m'aider ? »

Elle me fit un signe affirmatif.

« Dans mon rêve, lui dis-je très lentement,
j'étais de nouveau chez les Winterman. Ma
femme m'accompagnait. Nous allions passer
deux semaines dans leur château, en Bretagne.
Mais en entrant, j'ai tout de suite remarqué que
c'était surtout des amis personnels de la femme
de Winterman, des religieux, qui se trouvaient
là. Elle-même trônait au milieu de ce beau
monde. Mais bon dieu de bon dieu, depuis
quand Winterman s'est-il laissé éclipser par sa
femme ? me demandai-je dans le rêve. »

Voilà, ça y était. J'étais complètement plongé
dans l'atmosphère du cauchemar. Je le revivais.
J'oubliais même que Marie était là, tout absorbé
par la scène qui se déroulait dans le rêve. Tout
devenait si présent que plus rien d'autre ne pouvait parvenir à ma conscience. Je me parlais à
moi-même. Ou peut-être ne savais-je pas à qui je
m'adressais.

Winterman se tenait coi. Cela faisait un
curieux effet de le voir assis, seul dans son coin,
puisque dans la réalité, depuis que je le connais-

119

sais, c'était lui qui accaparait l'attention de tous. Il était à peu près impossible de la faire dévier de sa personne ou de ses dires. D'y parvenir était un tour de force. Il m'arrivait parfois d'y réussir grâce à un silence imprévu de sa part, ou encore lorsqu'il était en proie au découragement. J'étais celui qui réussissait malgré tout à rétablir le contact avec lui, même au plus creux de la vague. Quels secrets, quelles sorcelleries j'utilisais pour le sortir des pires torpeurs, je ne saurais le dire. Peut-être agissais-je alors avec lui un peu comme Marie le faisait avec moi.

Marie, qui m'écoutait en silence, n'était sans doute pas étonnée de ce lien qui nous unissait Winterman et moi. Je me rappelais les longues promenades quotidiennes sur les immenses plages et les escalades dans les rochers escarpés.

Mais, à ce moment-là, arriva ce qui devait arriver. C'était pendant le repas. La femme de Winterman, vêtue d'une longue robe blanche aux manches très amples, présidait au bout de la longue table recouverte d'une nappe sur laquelle étaient posés deux grands chandeliers couleur d'or. De chaque côté d'elle se trouvaient deux religieux, qui comptaient — et qui comptent toujours — parmi les plus puissants théologiens de l'Église actuelle. Les religieux lui souriaient. Sur un ton de profond recueillement, elle était en train de faire le récit de ses relations avec sa vendeuse de chocolats, des rapports d'âme à âme, comme tous ceux qu'elle entretenait avec les commerçants du village.

C'est alors qu'elle attaqua directement l'exposé que j'avais fait à Paris au sujet de ce long travail, de cette longue aventure qui nous avaient réunis, Marie et moi.

« Oui, de cet amour entre Marie et moi », ajoutai-je timidement.

Le mot *amour* venait de m'échapper. C'était, dans cette maison, un mot sacré que seuls la femme de Winterman et les deux théologiens avaient le droit de prononcer.

« Tu oses appeler cela de l'amour, me lança-t-elle en se dressant toute droite et en levant les bras vers le ciel. Pour ce qui est de l'amour, mon cher, tu voudras bien repasser. »

Et elle détourna la tête d'un air méprisant.

Je fixais les deux chandeliers. L'atmosphère était si chargée, le ton avait été si solennel que la scène ressemblait à une cérémonie secrète, comme lorsque l'on fait revenir l'âme des morts.

« Marie, m'entendez-vous, la femme de Winterman venait de m'excommunier. Et lui, il n'a pas réagi. Il ne m'a même pas défendu. Il restait silencieux, en retrait. Il se taisait mais ne semblait pas en souffrir. C'était comme si j'avais été entouré de revenants. Et comme si je l'étais encore maintenant. »

Marie me suivait de bien plus près que j'aurais pu l'imaginer. Combien de fois lui était-il arrivé à elle aussi d'être incapable de sortir d'un rêve ? Pire encore, peut-être n'en était-elle jamais sortie, en particulier de ce rêve du loup et de ces scènes où sa mère se jetait sur elle et se roulait par terre avec elle en poussant des cris et des hurlements. La réaction de Marie me soulageait. Je pouvais en toute confiance poursuivre mon récit.

« Ensuite, pendant la veillée, la femme de Winterman, debout devant la cheminée, s'est mise à chanter des chansons qu'on entendait à la radio il y a vingt ou trente ans. Tout le monde reprenait en chœur le refrain, sans enthousiasme mais dans une totale soumission à celle qui battait la mesure. Lorsque, la voix chevrotante, elle entonna à tue-tête la chanson *Un Canadien errant*, je n'ai pas pu résister. J'ai quitté la pièce en claquant la porte et je me suis jeté sur mon lit en mordant mon poing pour ne pas crier... Marie, me suivez-vous ?

— Oui.

LA FEMME-SORCIÈRE

— La femme de Winterman n'est pas allée jusqu'au bout de sa pensée. Elle ne m'a pas tout dit. »

Marie suivait tout à fait mon récit. Elle pouvait même très bien se représenter la scène d'horreur de mon rêve. Bien qu'effrayée pour moi, elle se résolut, après quelques instants, à me livrer le fond de sa pensée :

« Vous avez raison de vous inquiéter. Si j'étais à votre place, je prendrais au pied de la lettre les menaces qu'on a sûrement prononcées contre vous pendant ce repas. Une femme comme celle de Winterman est prête à tout pour détruire l'amitié qui vous liait à son mari. Vous risquez vraiment de devenir fou, vous aussi, et c'est une mort violente qui nous attend l'un et l'autre. Bien plus, nous pouvons déjà prédire que c'est une sorcière du genre de celle de votre rêve qui aura notre peau. »

J'avais envie de l'embrasser. Elle avait tout compris, j'en étais certain. Comment s'y était-elle prise pour me faire oublier qu'elle était, elle aussi, une sorcière, et parmi les plus redoutables ?

Ce jour-là, avec Marie, j'avais dépassé de beaucoup le temps du rendez-vous.

VIII

La route de l'Ouest

C'était un vendredi soir et je me trouvais de nouveau dans la bibliothèque. Anne vint me retrouver avec un plateau de fromage et du vin. Elle s'est assise dans le grand fauteuil perpendiculaire au mien.

Il m'était devenu maintenant plus facile de lui parler : nous devions tous les deux réexaminer la situation — le gâchis devrais-je dire — dans laquelle j'avais entraîné ma famille, le week-end précédent, lors de la croisière en bateau. Comment faire pour réparer les dégâts ? Anne adorait ces voyages, elle avait sûrement envie de poursuivre la croisière.

Son arrivée me rendit heureux. Je la regardais avec un réel plaisir. Elle était de nationalité française, mais c'est de Norvège que ses premiers ancêtres avaient débarqué en Normandie. Tout dans son apparence traduisait cette origine. Blonde de teint, les yeux bleu très clair, elle avait de longs cheveux blond cendré jusqu'à la taille. Elle était grande, distinguée, élégante.

Elle prit la parole la première, elle avait d'importantes nouvelles à m'apprendre. La veille, elle avait passé toute la soirée avec Aubert, elle voulait m'annoncer ce qu'ils avaient décidé.

« Nous partons demain matin, s'empressa-t-elle de me dire, nous resterons deux jours de plus, cette fois-ci. »

Elle avait pris la situation en main. Elle avait rassuré Aubert, lui avait juré que c'était la seule fois de ma vie que j'avais mordu des enfants. Elle lui avait raconté ce que j'avais vécu à Paris les jours qui avaient précédé ce dernier week-end au bateau. Aubert aurait été sensible à la perte de mon meilleur ami, Winterman ; c'était cette perte qui avait été responsable du comportement bizarre que j'avais eu sur le bateau à l'égard des enfants. Aubert était prêt à comprendre mes agissements et tous les deux décidèrent que nous prolongerions notre croisière ; cela ferait d'ailleurs grand bien aux jeunes pour lesquels, à présent, commençaient les vacances d'été.

Je téléphonai à Marie pour la prévenir que mon absence serait plus longue que prévu et que je lui ferais signe dès que je pourrais la revoir. Le lendemain matin nous nous rendîmes au bateau mais pour moi, les enjeux de cette croisière étaient totalement modifiés depuis que je connaissais la vie de mes ancêtres.

La route de l'Ouest que nous suivions était la même que celle qu'avaient empruntée mille et une fois mes ancêtres. Comme eux, nous étions partis de Lachine et maintenant nous nous trouvions dans leur pays, les Grands Lacs. Parfois, je m'étonnais de les chercher du regard, comme s'ils pouvaient apparaître soudain sur la berge ou dans les petites embarcations de pêche que nous croisions. On eût dit que deux êtres m'animaient simultanément. Il y avait en moi celui qui s'appelait Bigras et qui assurait la lignée. Le Bigras de la route de l'Ouest qui rentrait dans le pays de ses rêves. Il respirait à pleins poumons et se croyait investi d'une incroyable énergie. J'avais envie d'écrire sans arrêt, toute la nuit, surtout la nuit, quand les autres dormaient. Ce fut malheureusement l'autre, celui sans importance et que l'on désigne par son seul prénom, qui petit à petit finit par prendre le dessus.

L'un revivait l'épopée qu'avaient vécue ses ancêtres, mais l'autre reprenait la vie de tous les jours, le quotidien comme on l'appelle, retrouvant sa place dans un bateau comme il y en a mille autres. Pas si anodine que cela toutefois cette vie qui refaisait surface. Avais-je déjà oublié le drame singulier qui s'était passé ici même le week-end précédent ? Oh non ! mais je n'étais pas pressé de reprendre le fil de cette histoire. Sylvie venait de poser son regard par-dessus mon épaule pendant que j'écrivais. Flairant un danger, je fermai brusquement le cahier. Sylvie portait de nouveau son tout petit maillot de bain deux-pièces.

J'allai sur le pont chercher un peu de solitude. J'évitais le regard de Sylvie. Mes yeux toutefois mentaient. Ils avaient beau se promener dans toutes les directions, ils finissaient toujours par revenir au même point, le corps de Sylvie.

Je recommençais donc ! Mes yeux cessèrent de mentir et se posèrent — discrètement bien sûr — sur l'objet de leur convoitise. Ma plume en fit autant. Sylvie, c'était vrai, était belle et séduisante. Son père était fier d'elle. Par ailleurs, l'ami qui accompagnait Sylvie, Fernando, le rasé comme je l'appelais, me déplaisait au plus haut point. Je lui trouvais un air de lèche-cul, de faux-jeton.

« Serais-je devenu amoureux fou de Sylvie, par hasard ? » C'était une des questions que je

me posais depuis que j'avais mordu les deux
enfants. En voyant le corps nu de Sylvie étendu
sur le pont — presque offert — avais-je été
l'objet d'une capture, d'une saisie totale ? Une
fois de plus, je n'étais pas prêt à me l'avouer.
J'avais l'impression de m'enfoncer dans le
même labyrinthe que la semaine précédente. Je
ne comprenais rien, ni à ce que j'avais fait, ni à
ce que m'avait dit Aubert. Impossible de démê-
ler l'écheveau de cette histoire. Aubert avait
d'abord été furieux que je n'aie pas compris que
j'aurais dû faire l'amour à Marie. Pour lui, c'eût
été la seule façon de l'apaiser. En même temps
il était enragé que j'aie touché au corps de sa
fille. Pour moi, tout cela n'était que contradic-
tion. Dans le cas de Marie, peut-être avait-il finalement raison : aller jusqu'au bout, jusqu'à
l'orgasme si puissant, si total, qu'il l'aurait
peut-être sortie d'elle-même et de ses angoisses.
Quant à Sylvie il n'était surtout pas question de
la toucher ou même de l'approcher.

Face à Marie, j'avais été un trouillard. Par
contre avec Sylvie, je me serais comporté
comme un vicieux. Pire encore, j'aurais agi
comme un fou furieux ! « Ai-je vraiment eu envie
de violer Sylvie ? » me demandai-je encore une
fois.

« Pas du tout. Jamais de la vie », écrivis-je en

appuyant si fort sur le papier que ma plume perça la feuille. A moins que le père possessif et jaloux, peut-être même incestueux, ne fût dans toute cette histoire Aubert lui-même? Dans ce cas, c'était lui le vicieux, en dépit ou plutôt à cause de son attitude de père offensé, et d'autant plus qu'il se cachait sous l'apparence de la vertu.

« Le salaud », écrivis-je, soulagé cette fois. Soulagé n'était toutefois pas le mot juste. En fait je ne l'étais pas du tout. Loin de là.

Anne qui continuait de lire ce que j'écrivais dans le cahier noir et qui redoutait les scènes de violence, surtout entre Aubert et moi, décida de nouveau de tenter de m'aider dans cette affaire. La situation lui paraissait toutefois de plus en plus complexe. A ce moment, ce n'était pas tant la morsure des enfants qu'il lui semblait urgent d'élucider que la possibilité de mon désir de viol à l'égard de Sylvie. Pourtant la double morsure, en soi, demeurait pour elle et pour tous les autres sur ce bateau, l'acte le plus grave, même si elle avait temporairement réussi à rassurer Aubert à ce sujet. Seul Alexandre semblait avoir ressenti comme un geste d'affection la morsure que je lui avais faite au bras.

Anne avait peut-être rassuré Aubert, mais moi, je restais dans le doute le plus complet.

Encore une fois, c'était surtout pour Anne que j'avais accepté de continuer la croisière. Je n'osais même plus envisager quelles seraient les conséquences de mon acte. Je n'avais qu'une seule et unique certitude : elles seraient à la mesure de l'acte ; j'allais le payer cher.

Anne était prête à chercher de nouveau avec moi les motifs de ma conduite, sinon le voyage n'aurait pu se poursuivre. Elle aborda la question de Marie, faute de pouvoir parler de Sylvie.

« Si Aubert a été si violent avec toi, suggéra-t-elle, ce n'est pas parce que tu n'as pas fait l'amour avec Marie, c'est parce que tes rapports avec elle étaient beaucoup trop étroits, beaucoup trop intimes à son goût. »

Anne avait peut-être raison : Aubert ne s'était jamais confié à aucune des femmes qu'il avait fréquentées — et elles étaient nombreuses. Pourtant ses rapports avec Anne étaient amicaux et directs, encore qu'ils le fussent d'une manière tout à fait particulière.

Entre Anne et Aubert, il y avait une complicité évidente. La joie d'être ensemble était d'autant plus grande que tout entre eux paraissait simple. Tous les jours, ils se levaient tôt et savouraient la fraîcheur du matin. Ensemble, ils se baignaient nus. Ils plongeaient une première fois, du pont arrière du bateau, remontaient, se

savonnaient, replongeaient, et nageaient lentement autour du navire. Ils aimaient la lumière
du matin et profitaient du lever du jour en
silence, sans éprouver le besoin de parler. Le
silence faisait partie de leur plaisir et le bruit de
leurs corps dans l'eau accompagnait celui des
arbres de la berge et des mouettes dans le ciel.
Une fois, je m'étais levé tôt moi aussi. Bien
qu'encore à moitié endormi, j'avais pu me rendre compte de la fraîcheur, non seulement de
l'air et de l'eau, mais de leur présence dans ce
paysage. De les voir silencieux et sereins m'avait
aidé à savourer un instant, avec eux, à travers
eux, le lever du jour. Je redescendis quand
même dans ma cabine, content pour eux,
inquiet aussi. Je savais qu'Aubert, tout comme
moi, n'était à l'aise que si les rapports étaient
profonds et stables. Et il avait sans doute
trouvé dans l'amitié d'Anne ce qui lui tenait le
plus à cœur.

Par contre Aubert percevait-il que je m'inté-
ressais à lui, à cette époque tout au moins, de
façon bien ponctuelle? Ressentait-il le début
d'une certaine irritation de ma part à son égard,
comme à l'égard de beaucoup d'autres gens?
Anne n'était, bien entendu, pas concernée par ce
nouveau comportement. Avec elle, je continuais
d'être tendre et affectueux quoique réservé,

sans doute parce que je craignais qu'elle ne me quittât, un beau matin, sans prévenir. Cette inquiétude, que je ne lui avais pas encore confiée, commençait à m'habiter, petit à petit.

J'étais distrait. Anne, qui s'engageait sur une autre piste, voulait à tout prix expliquer la violence d'Aubert.

« Je crois savoir pourquoi il s'est fâché au sujet de Marie. Il aurait deviné sa détresse, et cette détresse était si profonde qu'elle lui aurait fait une peur beaucoup trop grande. C'est pour cela qu'il se serait dit quelque chose comme : " Si on lui avait fait l'amour un bon coup, une fois pour toutes, elle l'aurait oubliée sa damnée détresse. " »

Cette suggestion me plaisait, me paraissait juste. Je m'y étais d'ailleurs arrêté un long moment. Mais elle s'appliquait plus à moi qu'à Marie. Quant à moi, j'étais littéralement terrifié, défait par la détresse de Marie. De ne pas avoir trouvé la vraie réponse n'était pas si grave : le seul fait d'en avoir parlé avec Anne m'avait soulagé. En outre, j'avais hâte de connaître son avis sur un autre point qui me tracassait davantage :

« Pour ce qui est de Sylvie, demandai-je à ma femme, as-tu vraiment cru que j'aie eu envie de faire l'amour avec elle ?

— Je ne sais pas », répondit-elle.

La croisière se poursuivit et je continuai à couvrir de notes mon cahier noir. Un souvenir retint mon attention pendant une journée entière. Il était tout à fait précis, datant du temps où Alexandre était encore un bébé. Ce jour-là, je devais lui donner son repas et j'étais pressé, ce qui ne faisait pas son affaire. Mais Alexandre n'avait pas le choix. Je le pris à bout de bras, et comme il résistait, je lui criai à tue-tête qu'il allait la manger, sa fichue bouillie :

« Et tout de suite, tu m'entends ! »

Il l'avait mangée, c'est vrai : mais il l'avait aussitôt vomie sur mon épaule.

Si ce souvenir me revenait à l'esprit, c'était qu'il ressemblait à un incident singulier qui s'était produit la veille, sur le bateau, et qui m'intriguait de plus en plus.

A quatre pattes, sans faire de bruit, Alexandre s'était glissé le long de mon lit pour rejoindre sa cabine, à l'avant de la coque. Il était à peu près trois heures du matin. Avec mon index au garde-à-vous, dans le noir, je lui appliquai un tout petit coup dans les côtes auquel il réagit comme si je l'avais transpercé avec une aiguille à tricoter. Pourtant je ne l'avais qu'effleuré.

« Chut ! ce n'est qu'une blague, lui dis-je.

— Ouf ! tu m'as fait une de ces peurs ! Bonne nuit, papa. »

Dix minutes plus tard, nous entendîmes une voix sourde venant de sa chambre :

« Anne, Anne, je suis malade, j'ai vomi partout. »

Anne avait bondi jusqu'à lui. Elle l'aida à rincer sa bouche et lui lava la figure avec un grand mouchoir. En un tournemain, Alexandre fut propre, bien bordé dans sa couchette. Anne essuya le sol, vaporisa un peu de désodorisant dans la pièce, et Alexandre put se rendormir. Mais deux minutes plus tard, il était de nouveau malade :

« Anne, papa !

— Vite, en haut ! Mais qu'est-ce qu'il a ? »

Nous étions dans le noir pour enlever les couvertures et les oreillers qu'il avait à nouveau salis, pour l'aider à s'étendre sur le divan du living-room, à côté du grand siège de pilotage. C'était à mon tour de laver mon fils, à grande eau cette fois, de l'essuyer, de le couvrir, de le border : il grelottait de tous ses membres. Il but le grand verre d'eau que je lui apportai. Je prenais mon temps, restant près de lui un long moment. Alexandre se laissait soigner comme un enfant. J'avais allumé une bougie sur le tableau de bord et je pouvais voir qu'il jetait de temps à autre, dans ma direction, un regard rapide où j'avais pu déceler un léger étonnement, à peine perceptible. Une profonde tristesse aussi. Comme s'il avait eu envie de pleurer. Plus tard, je remerciai Anne de son aide. Elle n'était pas la mère d'Alexandre. Il n'avait que quatre ans lorsqu'il est venu vivre avec nous.

Anne m'avait attendu. Je sentis le besoin de la rassurer. Malgré les apparences, rien n'avait été changé entre elle et moi, lui dis-je, depuis le début de cette histoire, plus précisément depuis que Marie m'était revenue. Pour Anne, mes sentiments profonds restaient les mêmes. Elle m'écoutait, elle savait elle aussi que la crise que nous traversions depuis le retour de Marie, bien que grave, n'entamerait pas l'image qu'elle s'était faite de moi. Elle aussi, par moments, avait besoin que je la protège, comme une petite fille, ou encore que je la désire de cette manière que seule elle connaissait. Anne est la plus passionnée des femmes que j'ai connues. La mise entre parenthèses de ce qui me liait véritablement à elle ne durerait pas longtemps, j'en étais certain.

Je pensais aux débuts de notre liaison. Nous nous étions connus alors que nous travaillions tous les deux dans le même service psychiatrique pour enfants et adolescents. J'étais heureux d'avoir rencontré enfin une personne qui s'impliquait si intensément, si passionnément avec les patients. Je me rappelais les circonstances qui provoquèrent le coup de foudre entre elle et moi. D'abord, il y eut l'entretien avec une fillette auquel Anne avait assisté. Comme à l'accoutumée avec mes patients, j'éprouvais un réel plaisir à prendre soin de cette enfant triste et malheureuse. Cette fois-là, la petite fille s'était assise sur mes genoux, avait ouvert mon veston et s'était blottie tout contre ma poitrine. J'avais saisi dans le regard d'Anne son propre ravissement devant cette scène.

C'est le lendemain, je crois, que je lui présentai Alexandre. Je passai, ce matin-là, un samedi, deux ou trois heures chez elle en compagnie de mon fils alors âgé de quatre ans. Je lui racontai comment la veille, alors qu'il ne pouvait s'endormir parce que sa mère était partie en voyage, j'avais quand même réussi à le faire glisser dans le sommeil. Je m'étais étendu près de lui, dans son lit, et je lui avais chantonné doucement le passage de *l'Enfant et les sortilèges* de Ravel où les animaux en chœur répètent à

139

l'infini la mélodie du mot « maman ». Alexandre et Anne s'étaient souri et lui-même s'était laissé bercer par elle pendant que j'évoquais l'affectueux incident de la veille — qui ne devait malheureusement pas devoir se répéter, ou si peu, par la suite.

Enfin il y eut, ce même jour, l'histoire du manteau. Je revins lui rendre visite, seul cette fois, quelques heures plus tard, tant était grand mon désir d'elle. Plutôt que de lui donner la main, en entrant chez elle, je fis un geste de fou, j'ouvris tout grand mon manteau. Anne s'y engouffra comme l'avait fait la petite patiente la veille, celle qui s'était faufilée dans mon veston. Nous nous serrions l'un et l'autre et Anne pleurait. Nous ne nous sommes jamais quittés depuis.

Quelques mois plus tard, Alexandre venait nous rejoindre. Il est demeuré chez nous depuis ce temps.

Il me fallait maintenant m'endormir. Le jour était déjà levé. Je m'inquiétais toujours au sujet d'Alexandre. Lui-même avait été intrigué par son indigestion subite.

« Pourquoi suis-je malade ? m'avait-il demandé pendant que j'étais assis auprès de lui.

— Qui sait ? peut-être à cause de ce que vous vous êtes raconté cette nuit, Sylvie, Fernando et toi », lui répondis-je.

Vers midi, en arrivant au sommet des marches menant au living-room, mon regard fut aussitôt capté par celui d'Alexandre. On eût dit qu'il allait s'effondrer.

« Papa, me demanda-t-il alors que je n'étais pas encore dans la pièce, voudrais-tu m'apporter un autre verre d'eau ? »

De nous deux, je ne savais vraiment pas qui avait la plus mauvaise mine. J'étais intrigué par le fait qu'il m'ait attendu pour me demander à boire alors qu'il y avait belle lurette qu'Aubert et Anne étaient levés. Alexandre était content que je lui apporte un grand verre d'eau, un plein bock rempli à ras bord. L'eau avalée, il s'était aussitôt rendormi. Je restai sur le grand fauteuil près de lui.

Moi aussi j'avais soif, avec un goût de cendre dans la bouche. J'avais terriblement soif : un torrent n'aurait pas pu me désaltérer. Je restai quand même là, rivé au fauteuil à côté du divan où dormait Alexandre.

Je le surveillais.

J'étais devenu une tigresse et malheur à qui s'aviserait de le déranger.

J'étais devenu une tigresse, ou mieux une

louve auprès de son fils. Pourtant je ne m'aimais pas ainsi. Je regrettais de ne pas ressembler aux bêtes qu'on pouvait voir dans les films de Walt Disney tournés en pleine nature. Les louves, les vraies, savent s'imposer à ceux qui veulent s'en prendre à leurs petits. Devant le danger, le regard des louves s'illumine et les intrus décampent. Mon regard n'était pas de ce genre-là. Était-ce la haine qui m'avait rendu hagard? Chose certaine, l'horreur plutôt que le respect faisait qu'on ne me chercherait pas querelle ce jour-là. J'avais passé le cap du non-retour et je ne voulais plus faire attention à l'avertissement de Marie. Je n'avais plus le choix. Je ferais comme Marie. Comme elle, j'irais jusqu'au bout. Même si j'en devenais fou.

Et nous faisions toujours route vers l'ouest.

IX

Le monstre

Anne et moi, nous nous inquiétions d'Alexandre. J'avais accepté l'invitation d'Aubert à la condition que mon fils nous accompagne. Sur un bateau, mon fils et moi ne pourrions pas nous fuir. Plus d'esquive possible car on y vit toujours les uns sur les autres. J'avais enfin une chance réelle de me rapprocher de lui.

Une tentative avait déjà été amorcée une année et demie auparavant, au temps des Fêtes, dans une petite villa que j'avais louée expressément dans les Caraïbes, à mille lieues de ses amis dont je redoutais l'influence. Du matin au soir nous étions ensemble sur la plage, dans la mer, au restaurant, ou le soir dans la villa, à écouter la musique bruyante des jeunes d'aujourd'hui.

Au cours de ce voyage, j'avais découvert que je ne connaissais pas mon fils. Alexandre, je le voyais bien, se comportait, sous des airs décontractés, comme un être inquiet et fragile. Anne pensait que nous nous ressemblions tous les deux et qu'elle devait nous protéger.

Pendant ce voyage aux Caraïbes, j'avais surtout compris que, durant toutes ces années d'absence de vrai contact, un mur s'était érigé entre Alexandre et moi. Était-ce ma dernière chance avec mon fils ? A ma grande surprise, loin de me fuir, Alexandre était devenu de plus en plus excité. Il s'accrochait littéralement à moi. Il me pinçait, me bousculait, me griffait, ne me lâchait pas d'une semelle. Comme un enfant qui colle à sa mère. Mais moi, au contraire, j'étais mal à l'aise, gêné par ce déferlement de contacts physiques avec Alexandre, même si je me prêtais à ses jeux, à ses tiraillages et chamaillages, aux courses dans le sable.

Malgré ma gaucherie, Alexandre en remettait tous les jours, à la limite de ce que je pouvais endurer, moi qui ne supportais pas qu'il me fît mal, en me donnant des coups de pied ou de poing dans nos corps à corps sur la plage ou ailleurs. Ces joutes trop envahissantes finirent par me terrifier. Ma patience céda à la provocation, à l'agression. Je me mis à rendre les coups. Je devenais surtout coupable, démesurément coupable. Malade, je dus m'aliter pendant deux jours. Je n'étais vraiment pas habitué à tant de proximité avec un corps d'enfant.

146

Sur le bateau toutefois, c'était sur Aubert qu'Alexandre avait jeté son dévolu. Les batailles entre eux étaient robustes, saines. Jamais Alexandre ne dépassait la mesure. A ces jeux, tous les deux prenaient un réel plaisir. Les bagarres se poursuivaient également en paroles. Les reparties de l'un comme de l'autre, vives, colorées, amusaient et faisaient rire tout le monde à bord. Ce contact n'était vraiment pas de même nature que celui que j'avais connu l'année précédente, aux Caraïbes : « Je te jure, Aubert, lui dis-je, avec moi, l'an passé, Alexandre se comportait comme un enfant. Il m'en demandait trop. Il me forçait à faire la mère avec lui. »

Ce seul mot de mère mettait Aubert hors de lui. C'était ma faute si Alexandre avait dépassé les bornes l'année précédente. « Quand tu te bats avec un enfant, dit Aubert en martelant ses mots, c'est toi qui mènes le jeu. Pas lui. Tu ne le laisses jamais te faire mal. Il ne peut pas dire n'importe quoi non plus. Tu devrais avoir appris cela, toi, nom de Dieu, avec le genre de père que tu as eu. »

Mais je pensais plutôt aux jeux et aux caresses — et même aux morsures — qu'échangeaient Marie et son fils. C'était vraiment la débandade au lit le matin, presque une orgie —

si on se met à la place de l'enfant, bien entendu
— et il n'y avait ni maître ni règle du jeu dans
leur cas. Tout était permis entre eux.

C'était plutôt de cette manière — que je quali-
fierais d'animale ou de maternelle — que les
corps à corps avec Alexandre auraient pu se passer, l'année précédente, n'eût été ma totale incapacité, je le répète, à m'y prêter simplement,
spontanément. J'enviais Alexandre et Aubert de
s'amuser comme cela, sans se faire mal, sans
jamais se blesser, tels un père et un fils qui sont
bien ensemble.

Avec moi, ce n'était pas la même chose. Si
j'avais été une femme, l'année précédente, si
mon corps avait été celui d'une femme, peut-
être aurais-je pu me laisser aller avec mon fils
pendant qu'il jouait au bébé. J'aurais donné
libre cours aux vibrations, aux échos, aux chansons et aux caresses, aux morsures aussi, enfin
à tout ce qui donne ce poids de vie au corps à
corps d'une mère avec son enfant. Mais il était
déjà trop tard. On ne refait pas à quatorze ans
ce qui aurait dû avoir lieu au début de sa vie.

Aubert, lui, ne l'entendait pas ainsi. J'étais
dans mon tort l'année précédente aux Caraïbes
et maintenant sur le bateau. Il décida, ce jour-

là, d'en avoir le cœur net. Il est vrai qu'Aubert, en homme qui aimait les phrases directes, les pensées claires, n'était à l'aise qu'avec des réponses précises. Aussi me questionna-t-il carrément sur mon enfance :

« Dis donc, qui t'a aidé quand tu étais petit ? Qui restait toujours près de toi dans les champs du matin au soir ?

— Frank, l'employé de la ferme, répondis-je tout de suite.

— C'est évident et tu l'as écrit dans ton livre. Mais il y avait ton père aussi. Ils ont été si près de toi que ce sont eux qui t'ont fait. »

C'était vrai. Et Aubert, qui m'enviait, ne comprenait pas que je n'aie pas pris modèle sur mon père et sur Frank dans ma façon d'élever Alexandre. Mon fils aurait donc eu besoin d'une présence de ce genre qui aurait été celle d'un père, ou tout au moins d'un homme adulte que l'enfant aurait pu admirer et aimer et avec qui il aurait appris à jouer et à discuter, selon des règles précises, ni trop sévères ni trop légères. Et l'enfant aurait été aimé en retour, sans ambiguïté, sans qu'on fende les cheveux en quatre. Il aurait été aimé à cœur ouvert et dans la clarté du jour.

« Voilà ce dont ton fils a besoin », déclara Aubert, sûr de lui.

Je dus me rendre compte que ma façon d'élever Alexandre ne renvoyait à aucun modèle
mâle, paternel. J'avais beau envier les compor-
tements sains et limpides d'Aubert envers les
jeunes, j'en étais incapable.

Bien plus, je m'étais gardé de répondre à
Aubert que, si lui m'avait envié d'avoir le genre
de père que j'avais eu, moi-même je l'enviais
encore davantage d'être le père qu'il était, avec
sa belle Sylvie d'amour, comme il l'appelait,
cette Sylvie qui venait s'asseoir sur ses genoux
et qui l'embrassait à tout moment, le coiffait et
l'essuyait quand il sortait de l'eau, le câlinait
pour un oui ou pour un non, en vraie petite
chatte. Il n'y avait rien de trouble dans cet
amour entre Aubert et sa fille, alors que mes
rapports avec Alexandre continuaient d'être dif-
ficiles, tendus, peut-être même définitivement
ratés.

Voilà ce qui me faisait mal à présent. Je ne
voulais plus voir Sylvie dans les bras d'Aubert.
J'étais agacé par ses mièvreries. Je ne pouvais
plus supporter son attitude mielleuse : « Mon
beau papa à moi toute seule », disait-elle à tout
bout de champ. Dès qu'Aubert ou Fernando
s'approchaient de Sylvie je sentais la rage mon-

ter en moi. Avec Sylvie, j'étais soudain devenu possessif à l'excès, comme un vampire qui s'accroche à sa proie. Personne d'autre que moi n'avait le droit de la toucher, ni son père ni surtout Fernando. Mais je ne devais surtout pas montrer ce besoin de possession totale. D'aucune manière. Quel droit pouvais-je bien avoir de m'emparer ainsi de Sylvie, d'autant plus qu'elle ne m'aimait pas, vraiment pas du tout?

Anne s'était rapprochée de moi, elle me suppliait de prendre un moment de répit. Elle pensait que j'allais me tuer ou devenir fou — elle savait ce que contenaient mes cahiers noirs et il lui arrivait de relire plusieurs fois certains passages — si je continuais d'écrire comme cela à longueur de journée. Je me laissai convaincre.

Nous sommes partis, elle et moi, dans une petite barque, vers le rocher rose d'une île non loin de l'endroit où nous étions ancrés. Le temps était magnifique et nous avions tout loisir, Anne et moi, de profiter du soleil dans cette immensité. Nous sommes restés deux heures sur le rocher. Anne aimait bien entendre ma querelle avec une corneille mauvaise qui n'appréciait pas que son territoire soit envahi par un humain.

Anne s'amusait. Mais le répit fut de courte

durée. Il fallait bien revenir au bateau. Je me sentais mal. Je descendis dans ma cabine et m'effondrai sur ma couchette. J'en étais maintenant rendu au même point que Marie. C'était en moi que ça n'allait plus du tout. J'avais vraiment mal. Une douleur sourde, constrictive me serrait la poitrine, sous le sternum. J'étais couché en chien de fusil, tout entier replié autour de la douleur, comme pour l'envelopper, la materner, l'engourdir. Le mal restait là, lancinant, quoi que je fasse.

Je le connaissais bien et d'habitude je pouvais l'arrêter. Autrefois, je l'avais appelé la rage. Mais depuis quelque temps c'était différent. Était-ce de la haine, une haine indicible, suscitée par la présence ensemble d'Aubert, de Sylvie et de Fernando ? Je ne le savais plus. Je ne comprenais plus rien.

J'essayai de nouveau d'écrire pour chasser la souffrance, ou pour la digérer, la broyer ou l'évacuer, ou simplement l'oublier, comme on oublie un mal de dents. Mais cette fois, peine perdue, j'eus beau m'y atteler, la haine restait là, intacte. Au contraire, le fait de l'écrire semblait la nourrir et l'exciter encore davantage.

Une force incontrôlable, indépendante de ce que je vivais, de ce que je faisais et de ce que je pouvais écrire, s'était emparée de moi, je m'en rendais compte de plus en plus. Anne s'arrachait les cheveux. Elle ne comprenait pas pourquoi je continuais de mettre Aubert au courant de ce que j'écrivais.

« Ah ! mon cher Aubert, me plaignis-je, si tu savais combien mes rêves me font la vie dure depuis quelque temps. » Je racontai ma misère en la mettant sur le compte d'un phénomène coutumier chez moi, lié, me semblait-il, au simple fait d'écrire. Lorsque je me mettais à écrire, expliquai-je à Aubert, c'était toujours la même chose : à un certain moment, mes rêves entraient dans le bal sans tambour ni trompette. Je me rappelais surtout les sueurs nocturnes que m'avait causées *l'Enfant dans le grenier*. Le phénomène était étrange : tous mes rêves, sans exception, ne parlaient plus désormais que de l'histoire que j'écrivais, ou plutôt de ce qui s'écrivait dans cette histoire. Et présentement, j'étais de nouveau envahi. Dans mes cauchemars, je revivais la nuit ce que Marie avait vécu le jour dans ses hallucinations et ses délires.

« Tu vas peut-être me trouver fou, Aubert, mais il me semble que dans mon sommeil j'entends des bruits, des voix maternelles. »

Aubert réagit de nouveau très mal à cette confidence.

« C'est de ta faute. Il fallait rester tranquille. Tu nous casses les oreilles avec tes lubies maternelles. A ta place, je changerais complètement de cap et j'érigerais un monument à la mémoire de ton père pour qui tu n'as aucun respect. Je vais te faire une confidence, moi aussi. Tu m'agaces avec ta mère car tu sais très bien qu'elle ne s'est même pas occupée de toi. »

La même rengaine recommençait. Que pouvais-je répliquer pour me défendre ? Et même si Aubert avait été grossier envers ma mère, je n'avais nulle envie de la protéger, en lui disant par exemple que cette femme s'était tuée à la tâche, sans joie et sans aucune aide pour sa ribambelle de onze enfants, sans compter les employés à nourrir, et surtout le chef de famille qu'elle devait servir, jour et nuit, corps et âme. Je n'y pouvais rien, ce n'était pas à ma mère que je pensais, mais à moi-même, et à ce mal qui rongeait ma poitrine.

N'entendez-vous pas l'appel nocturne de la créature animale assoiffée de sang et d'amour ?

Maudite chienne !

C'était de nouveau un cauchemar et il y avait un procès. J'étais condamné à mort. On m'avait toutefois offert un dernier cadeau : deux

154

tableaux d'un peintre renommé. Sur ces tableaux, le peintre avait fait deux portraits de moi, l'un avant, l'autre après ma mort. C'étaient deux chefs-d'œuvre, du moins selon l'avis de mon entourage. Pour ma part, j'étais surtout frappé par le portrait me représentant après qu'on m'eût tiré une balle dans le cou. Curieusement, à la place de la plaie, le peintre avait dessiné un petit sein. Il avait aussi transformé l'image de mon corps. Je ne me reconnaissais plus. Sur le tableau, l'être était maigre, les yeux renfoncés, et son regard extrêmement douloureux semblait voir au-delà des choses d'ici-bas. Il avait la figure émaciée du curée d'Ars comme on peut la voir sur certaines cartes postales. Bref, j'avais été atteint d'une balle dans le cou à la suite d'un procès où n'avait été produite qu'une seule pièce à conviction. Cette pièce, c'était une main coupée, la main d'une petite fille. J'étais le criminel, cela ne faisait aucun doute.

Je me réveillai transi et me rendormis. Le même rêve se poursuivit : je criais, mordais, coupais des mains. Je coupais et mangeais la main de Marie. Je me réveillai de nouveau, et cette fois j'étais certain que je ne raconterais plus mes rêves à Aubert, surtout pas à lui. Mes cahiers noirs allaient être soigneusement cachés. Seule Anne continuerait d'y avoir accès.

Entre-temps, Fernando et Sylvie qui, eux, n'avaient sûrement pas oublié l'épisode de la morsure, semblaient manigancer un affrontement décisif. Sylvie m'avait fait délibérément du pied sous la table pendant le repas. Les premières fois, j'avais ôté mon pied, tout simplement. Mais aux deux dernières tentatives, je l'avais laissé là pendant une ou deux secondes, juste le temps de m'assurer qu'elle le faisait exprès. Ces deux fois-là, elle avait vivement retiré le sien, comme si je venais de commettre un acte indécent, tout en jetant un coup d'œil complice à Fernando dans le but évident de me dénoncer. Deux heures plus tard, nouvelle scène de sa part alors qu'elle sortait de sa douche : sous mes yeux elle laissa tomber sa serviette.

« Merde », lança-t-elle pendant que Fernando se retournait et me prenait en flagrant délit de la regarder. C'était fait maintenant. Il pouvait témoigner que mon regard s'était arrêté sur les seins de Sylvie. L'épreuve de force n'allait pas tarder à se produire. L'atmosphère était tendue. J'étais distrait. Comme si les événements et la vie réelle s'éloignaient de plus en plus de moi.

LE MONSTRE

Ce soir-là, à table, c'est encore Sylvie qui, brusquement, provoqua l'explosion :

« Fernando et moi quittons le bateau demain matin. Nous sommes de trop ici.

— Mais qu'y a-t-il ? demanda Aubert que la nouvelle attristait au plus haut point.

— C'est un obsédé sexuel et il ne laisse pas Sylvie tranquille », affirma Fernando en me pointant du doigt.

Aubert me regarda dans les yeux. Je compris qu'une condamnation sans appel venait de s'abattre sur ma personne. Assaut sexuel sur le corps de sa fille. Je sortis brutalement de table. Tout me semblait insoutenable et dérisoire. Je craquais. Je me jetai sur mon lit. C'en était trop. J'étais écrasé, au comble de l'impuissance. Il n'y avait plus de mots, plus rien, pour venir à mon secours. Anne n'était pas descendue, elle savait qu'il valait mieux me laisser seul, qu'elle était elle-même impuissante à m'aider. Lorsqu'elle vint me rejoindre, tard dans la nuit, elle mit sa main sur mon épaule. J'étais assommé. Je m'endormis.

C'est alors que je fis un cauchemar où, cette fois, m'apparut enfin de façon visible et repérable dans le temps et l'espace, la fameuse figure animale assoiffée de sang et d'amour.

Le lendemain, dans la cabine éclairée par la maigre lueur du hublot, je terminais d'écrire ce cauchemar. Anne était venue s'asseoir près de moi. Elle savait que le rêve de la nuit dernière n'était pas comme les autres. Ce cauchemar était un bourgeon, un germe, une greffe de délire, d'un délire aussi fascinant qu'un arbre en feu dont la flambée de haine, la veille, contre Aubert et consorts, n'avait été qu'un faible reflet. Ma haine n'avait plus de limite. Et c'était à froid que je me laissais maintenant porter par mes pensées. Si j'avais suivi mes véritables impulsions, la veille, j'aurais commis l'irréparable. J'en étais conscient. Tout était même réglé dans ma tête avec une précision parfaite : immédiatement après la provocation de Fernando et de Sylvie, je serais descendu dans ma cabine, j'aurais pris mon revolver, l'aurais caché sous mon veston, puis je serais remonté sur le pont. Une fois près de Sylvie, j'aurais braqué l'engin sur sa tempe gauche :

« Éloignez-vous tous, aurais-je ordonné aux autres, et tenez-vous debout, les mains en l'air contre le tableau de bord. Au moindre geste, je tire. »

Puis j'aurais dit à Sylvie, calmement, froidement, de s'étendre par terre sur le dos, d'enlever sa petite culotte, d'écarter les jambes, et je l'aurais violée en l'injuriant des mots les plus grossiers que j'aurais pu trouver. Enfin, je me serais levé et j'aurais regardé Aubert droit dans les yeux en lui disant :

« Tu m'as traité de couillon parce que je n'ai pas baisé avec Marie. Eh bien, c'est fait maintenant avec Sylvie. Sommes-nous quittes ? Réponds, sinon je tire.

— Oui », aurait répondu Aubert, livide.

Marie me revenait à l'esprit. Non seulement elle m'avait prévenu que je risquais de devenir fou moi aussi, mais surtout elle m'avait prédit que ce serait par une femme en blanc, une sordide sorcière venimeuse, déjà apparue dans un de mes rêves qu'on allait de nouveau s'attaquer à moi d'une façon foudroyante.

Dans le cauchemar qu'Anne était en train de relire, cette même imposante femme habillée de blanc s'acharnait sur moi et me poursuivait jusqu'au plus secret de mon être, et même au-delà. Elle s'en prenait surtout à ma progéniture.

Alexandre assistait à la scène ; il était tombé sous son joug. Puis les mâchoires de la dame s'agrandirent démesurément, jusqu'à envahir presque tout son visage et sa tête. Les crocs proéminents, elle bavait, hurlait, s'approchait d'Alexandre. Elle n'était plus que haine et jouissance confondues. Avec ses griffes, elle se saisissait du corps d'Alexandre et le jetait par terre, s'agrippait à lui et se roulait avec lui, tout en continuant de baver et de hurler.

« La maudite, avais-je écrit à l'encre rouge dans la marge, m'avait fait basculer ainsi qu'Alexandre dans son vertige à elle, dans sa propre folie. »

Anne avait levé les yeux et s'était accoudée sur le bois du lit, songeuse. Moi je regardais sans voir par le hublot. Soudain se produisit sous mes yeux une illumination. Mais non, je ne délirais pas. Pas du tout.

« Regarde Anne, lui dis-je aussitôt, regarde sur la berge à vingt mètres d'ici. »

Sur la berge, il y avait une centaine d'Indiens debout qui regardaient passer le bateau. C'étaient surtout des femmes. Pas un sourire. Aucune rancune non plus. On eût dit qu'ils attendaient là depuis des siècles.

160

En effet, le bateau contournait le rivage d'une réserve indienne sur la rivière Trent, entre le lac Rice et Peterborough.

J'avais fait mon cauchemar exactement là où mes ancêtres, coureurs de bois, venaient négocier les fourrures, baiser les petites sauvagesses et risquer leur vie, pendant que leurs femmes, ˙ leurs imposantes femmes blanches, restaient à la maison à se battre comme des chiennes pour survivre. Combien de fois les Bigras mâles, mes ascendants, ont dû faire ces mêmes cauchemars? Comment pouvait-il en être autrement pour ces hors-la-loi, ces parias, ces déracinés? En eux, aucun amour quand ils revenaient, une fois l'an, rendre visite à leur femme. Oui, les femmes Bigras acceptaient d'ouvrir les jambes, mais le scénario de ce qui se passait dans leur tête pendant l'accouplement ressemblait à s'y méprendre à celui que je venais de revivre dans mon cauchemar. Ces femmes, à force d'abandon, de misère et de dénuement, et surtout à force de trimer, de se battre et même de tuer, n'étaient-elles pas devenues de redoutables bêtes féroces?

Les Bigras mâles repartaient aussitôt en voyage mais ils avaient vu, entendu, enregistré ce qui s'était passé dans le lit matrimonial.

L'empreinte du monstre était à jamais gravée dans leurs esprits et dans leurs corps.

Les uns, les mâles, prenaient la clef des champs, emportant la terreur d'avoir laissé derrière eux, à leur misérable sort, les femmes et les enfants. Les autres, les femelles, ne se laissaient pas abattre pour autant. Elles savaient que l'homme n'oublierait pas ce qu'elles étaient vraiment, des ogresses, des reines de Hongrie.

Et maintenant je me rendais compte que le monstre s'était transmis de génération en génération jusqu'à m'atteindre au cœur même de mon être dans le cauchemar que je venais de faire. J'étais habité par le monstre, par l'incarnation vivante, dans ma vie et dans ma chair, des premières Bigras de ma lignée. Le même monstre nous habitait tous, ceux d'avant moi, et ceux qui me suivraient.

Une famille de vampires. J'appartenais à une famille de vampires. Alexandre aussi. Je me rappelais le cauchemar qu'il avait fait à l'âge de quatre ans :

« Papa, papa », avait-il crié.

J'étais accouru à sa chambre et m'étais assis au pied de son lit.

« Raconte-moi ton rêve, lui avais-je dit doucement.

— J'étais couché dans mon lit, et je t'ai

appelé. J'ai crié : papa ! papa ! Et toi, tu es venu et tu t'es assis au pied de mon lit. Mais soudain tu as tiré mon drap vers toi. D'un coup sec. Et j'ai vu ton sourire de démon. Tes canines étaient énormes comme celles d'un vampire. C'est tout. C'est un rêve de vampire. »

Et Alexandre s'était rendormi.

Alors ! Avions-nous tous sombré dans une totale confusion ? D'abord qui étions-nous, chacun d'entre nous ? Qui avait été le premier vampire dans toute cette histoire, le premier « mordeur », ainsi que s'exprimait le fils de Marie — « ma mère est une mordeuse » : cette affirmation du fils avait été rapportée par Marie dans son journal. Oui, nous étions tous confrontés au même désarroi, au même désordre indescriptible, Alexandre, moi-même et le monstre nocturne, lors de ce cauchemar en terre indienne. Nous étions enchevêtrés les uns dans les autres, dans un même corps à corps, dans un même envoûtement, un même enfer de souffrances et de jouissances excessives.

Quant à moi, je commençais à apercevoir malgré tout quelques trouées de lumière, comme s'il m'avait fallu faire tout ce cheminement pour en arriver là, à ce lieu d'où je pouvais repartir et peut-être revivre paisiblement.

Mon histoire avait été marquée par une constante indéniable, celle de l'amour absolu, interdit, inaccessible. Aujourd'hui je pouvais enfin l'avouer :

« Oui, Sylvie, j'ai regardé tes seins et ton sexe lorsque tu as laissé tomber ta serviette. Et tout ce que tu as vu et deviné était vrai ; morsure, désir de toucher, de caresser, d'entrer en toi. »

Ils avaient donc tous raison de s'inquiéter. Sylvie avait saisi au vol la lueur de mon désir le plus vif. Aubert, lui aussi, avait tout compris en lisant l'histoire de Marie. Il pressentait le danger que pouvait encourir sa fille si jamais mon délire d'amour — ou de haine — devait s'en prendre à elle. Aubert, surtout, savait que personne n'avait pu mater l'indomptable violence de mes ancêtres. Il lui fallait jalousement protéger sa fille. Aubert pressentit dès le début combien j'étais dangereux pour sa fille.

Une autre question me vint à l'esprit : pourquoi avais-je toujours été incapable de prendre vraiment les enfants dans mes bras, de les serrer contre moi, de les bercer, de leur chanter des chansons, de les endormir ? Ces enfants, le mien, Alexandre, et les autres aussi.

Je ne le pouvais pas, j'étais habité par cette

2. 3017 045 2967

NUMÉRO BONI
11 NOVEMBRE 1983

947023

2 INTER®

loto-québec

LOTS BONIS
TOTAL : **600 000 $**
1 lot de **100 000 $**
1000 lots de **500 $**

NUMÉRO BONI
11 NOVEMBRE 1983

947023

2 3017 045 2967

NEUF CENT QUARANTE-SEPT MILLE VINGT-TROIS

créature animale assoiffée de sang et d'amour, par ce monstre qui reflétait, tel un miroir parfait, mes propres impulsions, mes désirs les plus profonds. Mais pourquoi *le monstre* s'était-il montré précisément cette nuit-là?

Les premiers Bigras avaient choisi d'être des hors-la-loi. Et, comme dans la Grèce antique, ce n'était pas les petites lois des hommes qui pouvaient avoir raison d'eux, ces lois du père, comme on dit.

Je le savais. Je venais de vivre, moi, une tout autre loi qui ne pouvait venir que de la femme — *la mère* — celle qui restait à la maison. Elle avait été abandonnée à son sort et le sort allait se retourner contre ceux qui l'avaient trahie. C'était l'écho de sa voix et de son corps qui allait être entendu au-delà des confins du pays et à travers les siècles. La mère poursuivrait les traîtres et un jour elle viendrait à bout de leur indomptable folie. Ce n'était pas pour rien qu'elle revêtait les attributs de la créature animale assoiffée de sang et d'amour. Il n'existait nulle limite à sa soif de vengeance.

Ce fantôme maternel existait réellement — il existe toujours. Le monstre nocturne est resté plus vivant, au sens réel et physique du mot, que les vrais pères et mères Bigras qui, eux,pèlerins passagers, petites gens sans importance, se débrouillaient comme ils le pouvaient avec leurs enfants. Le monstre les transcendait tous, du premier jusqu'au dernier. Il les pourchassait jusque dans leurs derniers retranchements, les rendant semblables à lui-même, surtout les mâles qui, dans leurs fuites effrénées, commettaient des actes trahissant leur nature, tueurs d'enfants, séducteurs de petites filles, violeurs, imposteurs, criminels de tout acabit. Même les enfants, dès leur plus tendre enfance, étaient possédés par la passion de mordre, par la hantise des vampires. Comment oublier le rêve d'Alexandre? Et quelle n'avait pas été ma surprise le lendemain matin de voir cet enfant haut comme trois pommes me provoquer, me narguer, comme s'il avait découvert en lui, grâce à ce rêve, une force et un courage qu'il ne possédait pas auparavant!

« Ah! ah! mon père est un gros vampire. Ah! ah! me criait-il.

— Mais, Alexandre, sais-tu ce que c'est que d'être un fils de vampire? »

Absolument. Ce fils était lui-même un petit vampire, un petit monstre. Je n'y pouvais rien. Combien j'aurais aimé être à la place d'Aubert qui représentait les pensées du jour tandis que

166

j'incarnais celles de la nuit, celles que me dictait la créature assoiffée de sang et d'amour.

Et pourquoi m'avait-elle élu, moi en particulier ? Qu'avais-je fait pour la provoquer au point de ressentir le poids de sa haine sur moi bien plus durement que sur tous les autres Bigras réunis ? La raison était peut-être simple. Elle m'a choisi parce qu'il en fallait un qui paye pour tous les autres et qui puisse aller raconter, jusqu'aux confins du monde, que ce n'est pas comme cela qu'on traite les femmes et les enfants. J'avais toujours désiré devenir conteur, pas seulement local, comme mes ancêtres : non, mon désir me poussait à vouloir faire entendre mes histoires au-delà des océans, jusque dans les vieux pays. La démesure de ce désir, comme de tous mes désirs, était elle-même une caractéristique de mon appartenance, corps et âme, à mon unique maître : *le monstre nocturne.*

J'étais donc devenu la proie toute désignée pour attirer vers moi l'incroyable soif de vengeance de cette créature dont la loi paradoxale m'obligeait et m'interdisait en même temps de dévoiler tout autant ses propres amours vampiriques — à elle-même — que les miennes — à moi-même. Ainsi étaient enfin à peu près éclaircies les sources de cette folie de mordre qui s'était emparée de moi sur ce bateau et qui me portait à vouloir manger les enfants, Sylvie et Alexandre, délire qui existait bien avant ce moment, puisque c'était ce même délire qui m'avait fasciné chez Marie. Sa prophétie était maintenant réalisée depuis que le monstre s'était manifesté tel que prévu et qu'il s'était totalement emparé de mon corps comme de celui d'Alexandre.

En retour — et je lui en étais reconnaissant —, cette créature m'avait donné, sous forme de nourriture supra-humaine sans aucun doute, une énergie peu commune puisque j'avais tenu le coup malgré tout. Je ne voulais pas avoir raison d'elle. Pas du tout. Au contraire. Mais je ne lui vouerais pas de culte non plus. Pas de messe noire, pas de sacrifice à offrir à la dame. J'allais surtout me tenir coi, la laissant en paix elle aussi, elle surtout. Je penserais souvent à elle, bien sûr, puisqu'elle était désormais mon unique amour, mon unique loi. Elle avait bien mérité que quelqu'un la reconnaisse enfin.

La croisière se termina aussitôt pour le trio des Bigras. Je ne compris pas qu'Alexandre ne pose aucune question sur cette subite décision. Je hélai un taxi à Peterborough, où le bateau s'était arrêté. D'une voix que je ne me connais-

sais pas je dis au chauffeur : « A Montréal, rue
Sherbrooke. Et vite. »

Nous en avions pour deux heures de route.
Alexandre, pendant le trajet, s'endormit la tête
appuyée sur l'épaule d'Anne.

Aussitôt arrivé à Montréal, il fut entendu que
je me mettrais au lit. Anne avait pris ma tempé-
rature. La fièvre oscillait entre trente-huit et
trente-neuf cinq. Notre lit était très large. Anne
aussi se coucha et Alexandre nous rejoignit. La
télévision était installée au pied du lit et pendant deux jours nous restâmes là, à voir pas
moins de quatre westerns, trois policiers, deux
films de science-fiction — une pure concession à
Alexandre dans ce dernier cas — sans compter
les nouvelles et la météo, tout, n'importe quoi.

Nous faisions venir les repas de l'extérieur et
les prenions au lit. Alexandre et Anne baignaient voluptueusement dans une agréable
paresse, tandis que de mon côté, j'essayais tout
simplement de ne pas me sentir trop mal.

Mais le lendemain, vers midi, Alexandre commençait à montrer les signes inquiétants, pour
moi s'entend, d'une vie qui voudrait bien refaire
surface. Il bougeait. Il faisait des clins d'œil à
Anne. Ils avaient l'air de s'entendre comme lar-

rons en foire et se faisaient des signes louches, dans mon dos me semblait-il. Je grognais. Je les grondais. Ils auraient dû être plus attentifs à l'intrigue qui se jouait à la télé : un pur navet, ce film, mais j'aimais bien les navets par moments, et tel était le cas.

Alors Alexandre tira les couvertures, me découvrit complètement. Il se dressa sur le lit et se mit à sauter. A chacun des sauts, je bondissais, en haut, en bas, j'avais le vertige, le mal de mer. Alexandre m'attrapa les pieds, les souleva tout droit vers le ciel. La tête en bas, les bras en croix, je criais, je hurlais, je m'apprêtais à me fâcher, mais c'était peine perdue. La colère ne vint pas.

A la place, ce fut un vaste éclat de rire, un rire si fort et si long que nous nous retrouvâmes plus tard, sans trop savoir comment, tous les trois au restaurant, ravis et heureux.

X
Le cocon

Ce même soir nous partîmes, Anne et moi, à notre maison de campagne. Nous y sommes restés toute la journée du jeudi. Il n'y eut ni visiteur ni coup de téléphone. Une longue marche dans la forêt me permit de me reconstituer et de retrouver cet état de légèreté d'esprit dont j'avais tant besoin. Mon esprit se trouvait là en parfaite harmonie avec les éléments qui l'entouraient.

Il existe trois forêts chez moi. Le bois de bouleaux que nous aimons surtout l'hiver lorsque durant les randonnées de ski de fond nous entrons dans un féerique jeu de couleurs où prédominent les tons de blanc. Le bois de cèdres (en France, on les appelle des thuyas) longe la grande route à l'est de la ferme. C'est le préféré d'Anne qui souvent m'y emmène, surtout l'été. Elle aime bien s'étendre au soleil sur les rochers plats couverts par endroits de toutes espèces de mousses et de plaques de thym. La plus grande des trois, la forêt d'érables, est devenue mon domaine privé. C'est à l'automne que cette forêt m'attire le plus avec son manteau de feuilles rouges. A cette époque des grands vents et des nuits qui s'allongent, elle devient plus menaçante, du moins pour ceux qui n'en connaissent pas les secrets. Et moi, je m'y promène seul, un bâton à la main.

En ce jeudi, j'ai aussi retrouvé le calme de notre maison de ferme. J'en ai profité pour commencer à mettre de l'ordre dans les nombreuses notes que j'avais écrites pendant ces quatre dernières semaines.

Le lendemain — le vendredi 13 juillet — à mon arrivée à Montréal, je téléphonai à Marie pour lui annoncer qu'elle pouvait venir avec son fils ainsi qu'elle me l'avait déjà demandé. Elle voulait que je le voie, ne faisant confiance à aucun autre médecin.

Ce n'était rien de grave mais j'avais beaucoup hésité à le recevoir. Jamais aucun témoin n'avait assisté à nos rencontres. J'étais comme gêné à la pensée qu'une autre personne puisse se trouver entre nous. Comment pourrais-je engager le dialogue ? Nous avions totalement perdu, Marie et moi, l'habitude des conversations courantes. Que ferais-je de mes mains, de mon regard? Sur quel fauteuil inviterais-je l'intrus à s'asseoir?

Tout se passa très bien et je ne regrettai pas d'avoir reçu l'enfant. Je n'avais même pas eu à parler ni à penser. Je les regardais tous les deux: l'enfant, debout à côté de sa mère, lui tenait la main. Ils étaient dans une attitude de totale confiance. Cela me calmait, me rassurait de les voir se sourire et se regarder de temps à autre. L'enfant regardait aussi vers la fenêtre puis vers moi et de nouveau vers sa mère. Il se sentait bien et je ne trouvais rien à dire à cette entente entre la mère et son enfant. Marie avait senti mon désir puisqu'elle dit à son fils que j'aimerais sans doute le prendre sur mes genoux.

C'était vrai. J'avais envie de prendre ce petit garçon dans mes bras. Ma pensée était perdue au loin tandis que l'enfant se laissait serrer contre moi. Je le berçai silencieusement. Tout à coup ces mots me vinrent aux lèvres : « Si vous saviez, Marie, combien j'aimerais être à la place de votre fils. »

Marie ne répondit pas mais ses yeux s'agrandirent anormalement, accentuant d'autant plus le contraste saisissant entre leur vert éclatant et le brun de sa peau presque brûlée. Je ne savais pas

175

qui le premier avait saisi le regard de l'autre. J'étais médusé. Mon regard fixait celui de Marie. Le sien me pénétrait jusqu'au plus profond de mon être pendant que celui du garçon, tout aussi médusé, allait d'un côté à l'autre, vers sa mère, vers moi, comme s'il avait été le témoin d'apparitions dans la pièce, comme si nos corps, celui de Marie et le mien, s'étaient unis en un seul éclat dans la rencontre de nos regards. Fulgurante, cette rencontre de nos regards n'avait duré qu'un instant.

Mais nous l'avions bel et bien consommé, Marie et moi, cet acte insolite, imprévu, incestueux. Nous l'avions consommé dans ce regard qui nous avait unis, corps et âme, en présence d'un enfant qui, lui non plus, n'en croyait pas ses yeux.

Nous repartîmes, ce même soir, Anne et moi, pour notre maison de ferme. Deux autres belles journées devant nous. Il y eut, bien sûr, de longues promenades. Mais cette fois-ci, je ne pus me mettre à écrire. Ce qui s'était passé la veille était encore trop proche pour que je puisse en faire le récit. Je me demandais si un jour je parviendrais à prévoir les événements. Comment se faisait-il que de tels excès aient pu m'arriver, et

si souvent? Pourquoi était-ce toujours dans
mon corps que les intrusions, explosions, érup-
tions, pouvaient éclater sans qu'on ne me pré-
vienne à l'avance? Mon corps serait-il comme
celui de Marie, un moulin ouvert aux quatre
vents, par où les horreurs (ou les excessives
jouissances) pouvaient entrer ou sortir, au gré
de toutes les intempéries? Quand pourrais-je
colmater les brèches, fermer les trous, suturer
les blessures? Je revis Marie le lundi, comme
convenu.

Plus que jamais, pendant ce week-end, elle
avait écrit dans son journal. Ce vendredi 13
nous avait unis, elle et moi, une fois pour
toutes, pour la vie. Pour Marie, ç'avait été le
deuxième jour de sa vie. Il y avait eu le jour J,
alors qu'elle était âgée d'un an et demi, et il y
avait eu ce vendredi 13. Je savais donc qu'il ne
serait question que de cela.

Marie n'en était pas encore revenue. Pour
elle, il y avait dissymétrie totale entre les deux
événements. Mais elle me demanda plutôt de
lire ce qu'elle avait écrit. C'est qu'elle voulait
elle aussi être précise, extrêmement précise.
Elle tenait à ce que je comprenne ce en quoi
cette fameuse rencontre avait comme renversé

les effets que le jour J avait eus sur sa vie et sur son destin. Lors de la crise de folie de sa mère, la violence avait été telle que tous les éléments stables, ou prétendus tels, avaient basculé dans un désordre si grand — la mère, le père, la tante, la grand-mère, la maison, le monde entier avaient perdu toute cohérence — et le manque de contrôle avait été si total qu'il ne restait plus à Marie qu'à s'absenter dans une sorte de bulle. Elle s'y enferma à jamais.

En dépit des dommages irréversibles, la rencontre du vendredi 13 avait, comme par miracle, ravivé des coins d'ombre qui devaient demeurer totalement silencieux. La bulle, à l'insu de tout le monde, et à l'insu de Marie elle-même, avait réussi à se maintenir vivante malgré tout. Grâce à qui ? Grâce à quoi ? Marie n'aurait su le dire.

Je constatai que c'était plutôt une lettre qu'elle m'avait écrite pendant le week-end. Que s'était-il donc passé lors de cette rencontre ? Je lus la lettre avec recueillement.

« Ç'aurait été comme un œuf ou bien un petit utérus rond situé juste au creux de l'estomac, exactement là où ça faisait si mal en entendant votre voix au téléphone la première fois que vous m'avez appelée, il y a un mois. Dans cet œuf se *serait caché un embryon d'oiseau ou de petit animal dont la race aurait été indéterminée. Et ce petit animal se serait terré là depuis des années et des années, silencieux, presque toujours immobile, mais là. Longtemps et souvent on avait pu oublier sa présence. Mais tout à coup, on le sentait et ça envahissait tout, ça couvrait tout. C'était comme si les mouvements désordonnés et effrayés de cet animal l'avaient fait battre des ailes ou des pattes à un rythme terrible. Comme quand on essaie de retenir un oiseau captif ou un lapin. Et ces mouvements égratignaient et faisaient très mal.*

En ce vendredi 13, lorsque je vous ai vu me regarder tout en tenant mon fils dans vos bras avec tant de tendresse, de l'air frais, une lumière douce ont pénétré en moi, à l'intérieur de cet œuf toujours sombre qui se cachait au fond de moi-même. L'embryon a d'abord eu peur et s'est débattu, mais de plus en plus faiblement à mesure qu'il a senti la chaleur entrer en lui. Ça n'a duré que le temps de sentir que c'était bon, bon comme jamais il n'aurait pu l'imaginer.

Pour la première fois j'avais pu cerner les contours de cet œuf et voir où il se situait et ce qui l'habitait. Je sentais vraiment ce cocon en moi. C'était là que j'avais mal quand j'avais peur. Comme le matin où vous m'avez télé-

phoné, le 16 juin. Avec la rencontre de nos regards, tout est devenu différent. Cet oiseau a eu une peur terrible, la peur de sa vie, comme on dit, mais il connaissait aussi la première chaleur de sa vie. »

Je refermai cette lettre. Il me fallait réfléchir, repenser à tout cela. Je n'étais plus certain de bien comprendre. Marie, elle, était devenue suppliante auprès de moi. Elle aurait tellement voulu essayer de faire revivre cet embryon, qu'il naisse et la libère du même coup. Elle avait espoir que tout se règle puisque de s'être sentie si près de lui, si semblable à lui, pendant un moment, cela avait tout changé : de la lumière et de la chaleur avaient pu atteindre l'animal, sans trop le blesser, et sans qu'il ne la blesse trop.

Il semblait à Marie que c'était bon signe. Depuis, le calme était revenu et l'animal ne s'était pas débattu. Il ne lui avait plus fait mal.

Pour ma part, je ne regrettais ni l'incident du vendredi 13, ni d'avoir serré le petit garçon dans mes bras. Et, malgré ma frayeur, malgré l'insomnie, je ne pouvais plus me passer de Marie. Le lendemain, elle a bien vu que le trouble et l'effroi (la peur de la perdre sans doute) s'étaient emparés de moi, mais elle était cer-

180

taine qu'avec le temps et la patience le contact se ferait enfin une fois pour toutes entre nous. Ce n'était pas possible : nous avions rendu la vie à ce qui constituait le cœur même de son être, nous ne pouvions plus nous arrêter en chemin.

Marie ne craignait rien ni personne. Elle avait trouvé ce qu'elle cherchait depuis le début de sa vie. Elle avait confiance. « Le soleil brillera de nouveau pour nous deux », elle en était convaincue. Elle voulait ce rapprochement à tout prix.

Ses propos me mettaient mal à l'aise. Il m'était tout aussi impossible de répondre par un oui franc à la demande de Marie que par un non catégorique. Et je pressentais que je risquais dangereusement de perdre Marie depuis l'intrusion de son enfant dans nos rapports. Il n'était plus question de laisser dans le vague la réponse au désir physique de Marie. Je n'en n'étais pas moins incapable de me commettre pour autant, ni dans un sens ni dans l'autre.

Au plus fort de ces tergiversations, un incident malencontreux, inprévu, allait, deux jours plus tard, sonner le glas de toute cette aventure. Le fils de Marie, qui avait tout vu, tout compris et qui avait participé à l'échange des regards la semaine précédente, n'avait pu s'empêcher de raconter la scène à son père. Pour quelle raison avait-il fait cela ? « Probablement voulait-il for-

cer son père, me suggéra Marie, à mieux s'occuper de moi. »

De toute façon, c'en était fini de nos rencontres ; le père les interdisait. Marie, qui n'avait
jamais reçu d'ordre de sa vie, sentait que
celui-là était formel, et sans appel.

C'était donc notre dernier rendez-vous. J'ai
longuement plongé dans le regard de Marie et
j'ai lu que le moment de la fin était venu. Le
mari s'était servi d'un prétexte, même s'il se
fondait sur une vérité : Marie allait mieux, son
visage, son allure, sa voix, tout en elle s'était
délié et elle avait l'air radieuse. Mais la véritable
raison qui avait poussé le mari à réagir aussi
brutalement était autre. Dans l'échange des
regards qui avait eu lieu entre Marie et moi en
présence de son fils, le père avait été totalement
exclu de la scène. Que cette scène ait eu lieu au
vu et au su de son fils la lui rendait insupporta-
ble, même si elle avait rendu la vie à sa femme.

« En ce vendredi, confirma Marie, mon fils a
compris que son père était absent de mon corps
et de ma vie. C'est pour cela qu'il a joué le tout
pour le tout. Il n'a pas mouchardé. Il a simplement voulu que son père prenne sa place auprès
de moi. Pauvre de lui, s'il savait qu'en faisant ce
geste il a tué ma vie ! Il a tué tout espoir de vie
que ce vendredi avait enfin fait naître. »

LE COCON

Marie avait raison. Le père ne pouvait pas réagir autrement. L'impuissance paternelle, une fois reconnue, se transforme aussitôt en une irréductible puissance de mort, chez qui que ce soit.

En nous quittant, nos regards se sont une dernière fois rencontrés, mais c'était, chez elle, le regard d'une bête innocente et incrédule qu'on menait à l'abattoir.

Après son départ, je m'enfermai dans ma bibliothèque. Il fallait que je sois seul. Je ne comprenais rien. Je tentais de remettre mes idées en ordre mais en vain.

Je m'installai à ma table de travail et tentai de reconstituer la vie à deux qui, petit à petit, s'était construite entre Marie et moi. Il me revint d'abord à l'esprit le souvenir des hallucinations auditives de Marie quand elle entendait le bruit de la respiration des poumons, comme le ronron du chat, comme le papier de soie que l'on froisse. J'écrivais et je constatais qu'en perdant Marie, j'avais perdu la partie vibrante de moi-même.

Et le chant du loup? Cette mélodie envoûtante, éternelle, je ne la retrouverais pas non plus.

Et le cocon? Fini, lui aussi, ce nid, cette douceur quand l'être de l'un passait dans l'être de l'autre, sans transition ni résistance. Il me semblait qu'on m'avait enlevé mes vêtements, que désormais je resterais nu, seul dans le froid sur une mer de neige à perte de vue.

Et le fils de Marie? J'avais tenu ce petit garçon dans mes bras et il s'était laissé bercer en toute confiance, en toute simplicité. Ai-je dit, ce jour-là, que j'aurais aimé être le fils de Marie?

Le lendemain matin, pendant mon sommeil, Marie s'est suicidée. Assise sur un banc dans le jardin derrière sa maison, elle s'est tiré une balle dans la gorge et sa chienne Labrador a tellement hurlé que tout le voisinage s'est réveillé. Il était cinq heures du matin dans le rêve. Marie avait attendu l'aube avant de décider de s'en aller. « Le soleil brillera de nouveau pour nous deux... »

On m'a téléphoné pour m'annoncer sa mort. J'ai dû m'appuyer au mur sous le choc de la nouvelle. Je n'étais pas complètement surpris et n'éprouvais pas une véritable peine, même si je vacillais sur mes jambes. Un étrange sentiment m'envahissait peu à peu, de respect d'abord, puis de fierté devant l'absolue logique de Marie.

LE COCON

Jusque dans la mort, comme avec ses chiens, ce qu'il y avait eu à faire avait été fait. Marie avait été fidèle à elle-même jusqu'au bout. Je l'enviais pour cela.

Je me devais de lui rendre une dernière visite. Son corps reposait dans le salon, chez elle. Par la porte, j'ai vu le cercueil tout au fond du salon. J'étais déchiré. Marie était morte. Marie était morte. Ces mots me martelaient la tête. La douleur était si fulgurante, si poignante qu'elle réveillait toutes les autres douleurs enfouies depuis toujours. La mort de Marie m'arrachait la moitié de moi-même. Seul, abandonné, glacé. A qui me confierais-je? A qui pourrais-je raconter maintenant que Marie n'était plus?

Je n'entendais ni ne voyais plus rien. Je m'avançai, tel un automate, et maintenant j'avais les yeux rivés à la figure de Marie. Les gens avaient laissé un passage jusqu'au cercueil, impressionnés par ce qui se lisait sur mon visage. Elle était là paisible et sereine, les yeux fermés, endormie, dans son cercueil. Aucune trace, pas une goutte de sang. Habillée de blanc de la tête aux pieds. Dans sa robe de mariée. L'intérieur du cercueil, tapissé de soie blanche. Au milieu de tout ce blanc, le noir de ses cheveux et le cuivre de son visage faisaient une tache foncée. Imposante, majestueuse — comme

185

une reine de Hongrie — elle avait vécu sous une seule loi, la sienne.

La chienne Labrador montait la garde près du cercueil. Je ne l'avais pas vue tout d'abord, si absorbé que j'étais à graver dans ma mémoire les traits de Marie. La chienne m'a reconnu, sans doute à mon odeur. Timidement, elle a levé les yeux vers moi. De nouveau, j'ai reçu un choc brutal : la chienne avait les yeux de Marie. Ses beaux grands yeux verts. La chienne avait le regard de Marie et ce regard plongeait dans le mien. Je compris que Marie ne serait jamais tout à fait morte pour moi. Marie vivrait en moi, continuerait de m'accompagner et de m'habiter. Elle avait demandé à sa chienne de me transmettre cet ultime message. Un jour elle viendrait me chercher, quand mon heure serait venue. J'ai jeté un dernier regard à Marie. Je devais partir. Je n'avais plus rien à faire là.

Je me réveillai. Ce rêve, que je venais de faire, m'apprenait que c'était maintenant fini avec Marie. Cette folle aventure était bel et bien terminée.

Ma mère

Ma mère à l'âge de dix-huit ans.

Ma mère m'attendait. Pour cette soirée, elle avait acheté un bon bordeaux et mon whisky favori. Le rôti de bœuf serait tendre et juteux. Elle avait sorti sa belle nappe blanche du dimanche et j'avais remarqué les deux grandes chandelles rouges sur la table. Il est vrai que je ne venais la voir que très rarement. Elle était si heureuse de ma visite, mais inquiète aussi, car elle savait que je ne me serais pas déplacé pour de simples bavardages. Nous allions avoir un tête-à-tête important.

Elle se demandait si par hasard je n'étais pas venu lui annoncer de mauvaises nouvelles.

« Aucune, ma mère », la rassurai-je aussitôt.

Elle était contente que je sois venu seul. D'être près d'elle me faisait du bien à moi aussi.

Depuis quelque temps, je m'étais calmé, j'étais moins angoissé. J'éprouvais même, de temps à autre, des moments de paix, de bonheur. Il m'arrivait encore d'être pris d'agitations qui me causaient des insomnies tenaces. Mais ces désordres ne se produisaient plus que très rarement.

Il fallait que je rende à ma mère ce qui lui revenait de l'histoire que les recherches sur mes ancêtres m'avaient permis de mettre au jour, même si certaines informations demeuraient imprécises. Je désirais lui rendre compte, dans les grandes lignes, des résultats de ces recherches puisqu'ils la touchaient directement. De plus, si elle acceptait cet échange, elle m'apprendrait peut-être davantage sur certains points demeurés encore obscurs, surtout ceux qui les concernaient tous les deux, mon père et ma mère. Eux si différents, si opposés, pourquoi s'étaient-ils mariés ? Et pourquoi mon père était-il mort le jour même de leur vingt-cinquième anniversaire de mariage ?

Espiègle, fine, elle était là avec ses yeux enjoués. De taille moyenne, un peu ronde, elle avait conservé, malgré les rides de son âge, un quelque chose d'enfantin, de naïf. Son visage avait gardé l'ovale de sa jeunesse. Son sourire, à peine esquissé, laissait percer une inquiétude, une méfiance même.

Comme toujours je la sentais légèrement fébrile, à l'affût des moindres sentiments qu'elle aurait pu déceler dans mon regard, mes gestes, mes paroles. Après les brefs échanges de nouvelles concernant la famille, la santé, le travail de tous — j'ai dix frère et sœurs — j'abordai la raison de ma visite :

« Ma mère, je suis venu au sujet de la famille des Bigras. J'ai beaucoup pensé à eux, j'ai même fait des recherches à leur sujet. Vous savez sans doute qu'on ne nous a pas tout dit à leur sujet.

— Tu crois qu'il y aurait des secrets ? » répliqua-t-elle, cachant mal sa curiosité.

Je répondis par l'affirmative. Ces secrets concernaient surtout l'arrière-grand-père, lui dis-je aussitôt, pour ne pas l'effrayer. Je gardais pour plus tard les vraies questions.

« Bien sûr que j'ai connu ton arrière-grand-père... sa femme aussi d'ailleurs. C'était tout un numéro », ajouta-t-elle sur un ton badin. Elle me regardait, l'œil en coin, un brin méfiante avec l'air de se dire : « Que me veut-il encore celui-là avec ses questions pièges ? »

« Ton arrière-grand-père était un clown et un conteur d'histoires. Il était aimé de tous. Il était sourd-muet, mais curieusement il entendait au téléphone. Un sourd peut-il entendre au téléphone ? Tu dois le savoir, toi qui est médecin.

« Il était complètement sourd, poursuivit-elle. Et il tenait l'invention du téléphone pour la catastrophe de sa vie, lui qui avait l'habitude, toujours selon ma mère, quand il parlait aux femmes, de les prendre par la main et de les tenir tout près de lui. De cette manière, les yeux fixés sur leurs lèvres, il prétendait comprendre tout ce qu'elles disaient. Le téléphone avait gâché sa vie, puisque les femmes venaient moins souvent lui parler de vive voix, sachant qu'il entendait au téléphone. »

Puis ma mère se mit à imiter sa voix :

« " Pas apable pogne la fille, pas apable donne le bec ", jurait-il en pointant l'appareil téléphonique. [Pas capable de prendre la fille. Pas capable de lui faire la bise.] Il est vrai qu'il était vieux à cette époque et que tout le monde lui pardonnait ses fredaines. »

Ma mère devint nerveuse. Elle parlait de plus en plus, ne supportant pas mon silence. Elle disait qu'elle comprenait mal les histoires que mon arrière-grand-père racontait dans les soirées de famille. Pour elle, c'était surtout une suite d'onomatopées. « Pouep-pouep-pouep, faisait-il avec ses joues et ses lèvres qui se gonflaient comme des ballons pendant que les sons explosaient en saccades à une vitesse folle et que l'assistance, toujours nombreuse pendant les fêtes, s'esclaffait à n'en plus finir. Il jouait des tours sans arrêt. Après la messe du dimanche, à peine était-il sorti de l'église que devant tout le monde, il se tournait vers sa femme, lui faisait une belle révérence, puis, la regardant droit dans les yeux, l'index levé, il la prévenait : " Moi m'en va pisse. " Et il allait s'envoyer quelques coups de caribou [du whisky blanc] à l'auberge d'en face, laissant sa femme sur le parvis de l'église à l'attendre, parfois près d'une heure. »

« Mais alors, demandai-je à ma mère, lui arrivait-il parfois d'être triste ou malheureux ? »

Non, ma mère ne l'avait vu que le cœur en fête. Le ton de sa voix s'était brusquement assombri. L'enthousiasme venait de tomber. Elle ajouta, comme pour en finir avec cette histoire :

« Il y avait une ombre au tableau. De mauvaises langues avaient répandu le bruit qu'il était possessif, jaloux de sa femme et très sévère avec ses filles. Mais c'était sûrement des racontars. Pour moi, il resta toujours un homme de belle apparence, un homme supérieur. Il était le plus instruit du village et il lisait beaucoup. Comme ton grand-père et ton père d'ailleurs. »

Puis elle se tut. Avec son application coutumière, elle avait allumé une cigarette. Elle avait repris son air méfiant du début.

Ma mère, je dois bien l'avouer, avait toujours eu très peur de moi. Déjà quand j'étais enfant, je l'effrayais avec les histoires que je racontais

193

moi aussi dans les soirées, car je m'étais spécia-
lisé dans les histoires d'horreur. Pourtant, elle
les écoutait avec beaucoup d'attention et de
curiosité. Souvent, elle éclatait de rire, d'un rire
nerveux, artificiel. Peut-être en éprouvait-elle
secrètement de petits frissons. De toute façon,
elle était mon meilleur sinon mon unique
public. C'était à elle, uniquement à elle que je
m'adressais. Je la fixais pendant toute la durée
de mon petit numéro.

Je me revoyais à l'âge de cinq ans, à la fête de
fin d'année. L'institutrice m'avait choisi pour
dire un poème devant les parents réunis. Très
lentement, je m'étais avancé vers le centre de la
scène, j'avais gardé le silence cinq secondes,
comme on me l'avait demandé (un, deux, trois,
quatre, cinq, comptai-je dans ma tête) puis
j'avais fait un petit salut très discret avant de
réciter le poème. Là non plus, pas un seul instant je n'avais quitté ma mère des yeux :

> *Quand je serai grand*
> *Je t'achèterai*
> *Au bout du village*
> *Un petit jardin*
> *Tu souris, je gage*
> *Quand je serai grand...*

ÉPILOGUE, MA MÈRE

Ma mère avait éclaté en sanglots, pendant que mon père baissait la tête au comble de la honte. Il venait de comprendre que, par ce poème, je déclarais publiquement son impuissance à rendre ma mère heureuse et elle-même, par ses sanglots, confirmait publiquement mon assertion. A cette époque, bien entendu, j'étais totalement inconscient et j'ignorais qu'il y avait là une provocation de ma part.

Un autre souvenir d'enfance me revenait à l'esprit pendant le silence qui s'était installé entre ma mère et moi. Au même âge, j'étais très attiré par les images de l'enfer dessinées en couleurs dans mon petit catéchisme. Je pouvais passer des heures à regarder les scènes où le diable entouré de feu piquait le corps des malheureux damnés avec sa grande fourche. Une fois, ma mère avait surpris ma fascination pour ces images. Elle était terrifiée. Elle n'en croyait pas ses yeux. Elle avait mis sa main sur sa bouche et, en courant, elle était sortie de la chambre, l'air épouvanté.

« Ma pauvre mère, pensai-je maintenant avec tristesse. Combien d'autres fois n'allais-je pas l'effrayer dans la vie ! »

Et maintenant, elle savait que tout était possible de ma part, que rien ne pouvait m'arrêter.

« Ma mère, poursuivis-je, parlez-moi aussi de mon grand-père. »

Cette fois-ci, elle répondit directement et simplement. Le grand-père, c'était connu de tout le monde, était dur, brutal, hautain et craint de tous. En public, il se comportait toujours avec dignité et distinction. Il était mince, élégant ; les cheveux gris toujours bien coiffés, les costumes bien coupés, il avait fière allure. Les femmes se retournaient à l'église pour le regarder. Il lisait beaucoup. Parfois, il faisait à ma mère le résumé du livre qu'il venait de lire.

En privé c'était un tout autre homme, il avait même un tout autre visage. Sa femme en avait tellement peur qu'elle inventait n'importe quels mensonges pour préserver les enfants de ses colères. Les mensonges étaient si gros, parfois, que c'en était drôle.

Mon grand-père était dur avec tout le monde, sauf avec ma mère. Pourquoi ? Il était bien évident que je ne la questionnerais pas à ce sujet. Est-ce qu'elle faisait partie des femmes qui se retournaient à l'église pour admirer ce bel homme ? Ma mère eut vite fait de passer à un autre sujet :

« Dans son enfance, affirma-t-elle, ton père a

été tyrannisé par le grand-père plus que les autres enfants, probablement parce qu'il était l'aîné de la famille. Un jour, ton grand-père lui a même administré un triple coup de chaîne en fer pour la simple raison qu'il avait lancé un petit jet de lait à la figure d'un de ses frères en trayant une vache. »

Ce jour-là, mon père avait quitté la maison. Il était entré en religion et c'est à cause de cela qu'il avait fait de longues études. Plusieurs années après, il abandonnait le grand séminaire. Il voulait cultiver la terre. Mais il n'avait jamais pu affronter son propre père.

Mon père avait donc été la principale victime du grand-père et ne s'en était pas remis. Il lui était impossible de le regarder en face. Je ne savais pas pourquoi mais cette pensée m'était intolérable. De mon père, je me rappelais surtout une chose : son regard. Je savais qu'enfant mon propre regard pouvait glacer ma mère sur place. Il en était de même de celui de mon père à mon endroit : je fondais devant lui lorsqu'il me fixait de ses yeux perçants. Cela n'arrivait pas souvent. Il était un être sensible. Mais lorsqu'il se fâchait contre les enfants, son arme la plus redoutable, je le répète, était ce regard que personne dans la maison ne pouvait soutenir. C'était sans doute de lui que j'avais hérité cette étrange force des yeux qui sait clouer sur place quiconque ose se mettre en travers d'un désir ou d'une haine particulière.

Je commençais à saisir le sens profond de ce regard de mon père lorsqu'il s'allumait. Il tirait sans doute sa force d'une incroyable haine venue de la dureté de son père à son égard. D'où venait ce même regard, cette haine dans mon cas? Je l'ignorais, mais je savais qu'à ce moment précis de la conversation avec ma mère, ce regard, le mien, venait justement de s'allumer et ne lâchait plus les yeux de ma mère. Ma mère, je le sentais bien, était désormais en ma possession; elle ne pourrait plus résister à mes questions, ni se défendre.

Le rôti était prêt. Je débouchai le bordeaux. Il y eut un long silence.

« Au début, repris-je non sans hésitation, je vous ai dit que nous ne savions pas tout des Bigras. Vous avez sans doute deviné que je pensais surtout à mon père. J'aimerais savoir pourquoi vous l'avez épousé. »

Ma mère ne le savait pas réellement. Elle n'avait que dix-huit ans et venait de terminer l'école normale lorsqu'elle rencontra mon père. Il devint amoureux fou d'elle.

Épilogue, Ma mère

« Je crois que je l'ai épousé à cause de son regard. Il lui arrivait de me regarder d'une façon telle que je perdais tous mes moyens. Mais nous n'avons jamais été heureux ensemble, même si, au début tout au moins, c'était un homme qui aimait la vie. Tout le village savait qu'il me trompait, comme tu le savais toi-même, surtout avec les filles qui rôdaient autour du marché Bonsecours où il allait vendre les produits de la ferme. Dès le début, il me trompait.

— J'aimerais en savoir davantage, continuai-je, sur ce qui se passait la nuit. Je sais qu'il faisait des cauchemars. Je me souviens aussi d'une fois où il s'était présenté au petit déjeuner avec une main ensanglantée. Le sang avait imbibé son pansement. Je vous avais demandé ce qui était arrivé et la réponse que vous m'aviez donnée ne m'avait pas satisfait. C'est peu de temps après cet incident qu'il est mort d'une crise cardiaque. »

Ma mère était troublée. Elle a protesté. Elle ressentait ces questions comme une injure personnelle.

« Pourquoi tiens-tu absolument à gâcher le plaisir de ce repas? me demanda-t-elle sur le ton d'un être traqué. Ne comprends-tu pas qu'à l'époque dont tu parles, manger était devenu une véritable corvée qu'on expédiait au plus vite? Ne te rappelles-tu pas que plus jamais la nappe blanche n'était mise sur la table, pas même le dimanche? »

Je me rappelais en effet que c'était surtout autour de la table qu'était apparue dans la famille une sorte de gêne à se retrouver ensemble. J'avais cru, alors, que la cause provenait de ma mère. Les dernières années avant la mort de mon père, elle s'était refermée sur elle-même, accomplissant les tâches quotidiennes automatiquement et sans plaisir. Et je n'aimais plus les grandes vacances d'été, à la ferme. Je travaillais comme un forcené, sans doute pour que ma pensée ne s'arrête pas à ce qui se passait vraiment dans la famille. J'avais hâte de retourner au collège où j'étais pensionnaire.

Nous étions toujours là, ma mère et moi, un peu pantois, déconcertés. Ma mère partit dans la cuisine. Je trouvai qu'elle mettait beaucoup de temps pour préparer la salade. Cela me donnait toutefois le loisir de reprendre mon souffle. Ce qui se passait, entre ma mère et moi, tenait d'une sorte de sacrilège. Aucun enfant n'a le droit de parler à sa mère comme je venais de le faire, c'est évident. Pourtant c'était en même temps le contraire : une complicité dans les regards avait remplacé l'extrême dureté qui les avait caractérisés quelques secondes plus tôt. Était-ce moi qui avait lâché prise le premier? Je ne voulais plus me battre. Plus jamais je n'affronterais ma mère comme je venais de le faire. Plus jamais. Je crois que mes yeux avaient perdu toute puissance, toute haine, tout désir de vengeance, comme ceux de la chienne Labrador de Marie, qui était apparue tout près du cercueil de sa maîtresse le matin de mon fameux rêve.

Ma mère rompit le silence. Le ton de sa voix était si lourd que je ne pus m'empêcher d'avoir peur à mon tour. Le climat était à nouveau chargé de menace. Je ne m'y étais pas préparé, j'étais pris au dépourvu.

« Je n'aime pas me souvenir de ce temps-là. J'ai fait tout ce que j'ai pu pour l'oublier. Comment veux-tu que j'en parle? C'est si difficile! Vois-tu, ton père avait commencé de me menacer peu de temps avant la scène que tu évoques. Des gens disaient qu'il avait considérablement changé, et que parfois ils ne le reconnaissaient plus. Par contre, il pouvait redevenir, en l'espace d'un instant, l'homme débordant de vie et de jeunesse qu'il était avec tous, surtout avec les jeunes et les enfants, mais pas avec moi. Avec moi, la coupure était faite.

« Il ne me le pardonnait pas. Ou était-ce moi qui était devenue dure et sans pitié pour lui ? Alors est arrivé ce qui devait arriver. Une nuit, il est revenu du marché Bonsecours et a voulu me surprendre en entrant par la fenêtre. Il a donné un coup de poing dans la vitre tout en braquant sa lampe de poche dans la direction du lit où je dormais. Il pensait que je le trompais avec l'employé de la ferme. C'est ce matin-là que tu l'as vu avec une main ensanglantée. »

C'était donc vrai qu'il était devenu jaloux et dangereux. Le pauvre homme, du moins c'était ainsi que je l'imaginais, ne pouvait plus compter sur sa femme qui déjà — pour quelles raisons au juste ? — avait abandonné la partie. Ma mère était quand même restée au foyer parce qu'à l'époque il était impensable qu'une femme puisse seulement songer à quitter la maison. Mon père l'aurait suppliée, même s'il la trompait, de rester près de lui, surtout la nuit. C'était ainsi que j'essayais de reconstituer le scénario des derniers mois que mes parents avaient passés ensemble.

« Il a pensé à se suicider, n'est-ce pas ? demandai-je.

202

ÉPILOGUE, MA MÈRE

— Oui, il en a parlé quelques jours avant sa crise cardiaque.

— Puis-je vous poser une dernière question?

— Oui, répondit-elle désormais résignée à tout.

— A cause de ses crises violentes, le médecin vous a-t-il laissé entendre qu'il fallait peut-être penser à l'interner?

— Le médecin m'a donné cette impression deux jours avant sa mort. Mais ce n'était pas moi qui lui avais demandé conseil. Je ne l'avais vu que par hasard à la sortie de la messe. Je ne m'étais pas plainte de ton père, du moins pas à ce moment-là. Je l'avais fait, c'est vrai, mais beaucoup plus tôt, alors que j'avais encore espoir que les choses puissent s'arranger. Mais le médecin ne m'a pas aidée: c'était un ami de ton père. Il ne trouvait aucune solution à notre problème. Nous, ton père et moi, avions tout essayé: nous avions discuté, prié, pris des résolutions, consulté des amis, des prêtres. Mais ça ne s'arrangeait pas. Et même ça empirait.

— Qu'est-ce qui empirait? »

Ma mère allait maintenant, du moins je l'espérais, vider l'abcès une fois pour toutes. Elle ne pouvait quand même pas garder pour elle toute cette souffrance. « Il ne faut pas

203

qu'elle l'emporte dans sa tombe », me dis-je à ce moment-là.

Elle avoua que son corps était toujours resté insensible à son mari. Complètement. Combien elle aurait aimé pouvoir répondre à ses avances et à ses désirs ! Rien à faire. Son corps ne pouvait pas, n'avait jamais pu. A la fin, tout allait de mal en pis. Même les larmes avaient disparu. C'était comme si ma mère n'avait plus de corps, comme si son corps était mort. Elle était découragée. Par la suite, mon père serait devenu bizarre périodiquement, violent même, et dangereux.

« Et les Bigras ? Les autres Bigras ? Parlez-moi d'eux. »

Un flash venait de me traverser l'esprit concernant tous les Bigras, pas seulement ceux que j'avais connus mais les premiers Bigras, ceux du début de la colonie. Toutefois, pour ma mère, ma question ne visait que ceux qu'elle avait personnellement connus. J'avais soudain la certitude qu'elle allait m'apporter la confirmation de l'existence d'une tare précise dont tous les Bigras avaient été atteints depuis le tout début.

« Après tant d'années, reprit-elle, j'étais désespérée, mais il y avait pire : j'étais assaillie, à toute heure du jour et de la nuit, par des pensées grossières, vulgaires, des pensées parasites. Quand j'y repense, j'en ai la chair de poule.

— Des pensées concernant la famille des Bigras ?

— Oui.

— Et qui vous disaient qu'en épousant mon père vous étiez tombée dans une famille de fous ?

— Oui. Pourtant, comment aurais-je pu les juger ainsi quand on voyait le respect que les gens leur portaient, surtout à ton grand-père ? Il y avait même trois religieux parmi tes grands-oncles, c'était vraiment une famille honorable et respectée. Tu comprendras que je me sentais obligée d'aller me confesser au prêtre d'avoir de telles pensées. Encore là les confessions n'y changeaient rien. Selon moi, ce n'était pas du respect que les Bigras inspiraient, même les trois religieux, mais de la crainte et de la haine. Ils terrifiaient les gens. Seuls deux d'entre eux furent vraiment respectés : ton père et ton arrière-grand-père. Puis-je te dire que toi-même, tu n'as jamais porté aucun respect aux Bigras, sauf à ton père et à ton arrière-grand-père à qui tu ressembles, comme tout le monde le disait dans ton enfance ? Et tu le sais très bien. »

De mon côté, je prenais cette affaire plus

qu'au sérieux. Les pensées parasites de ma mère concernant les Bigras devaient bien venir de quelque part. Et si je parvenais à leur trouver un fondement réel, si petit soit-il ? Un effort de plus et ma mère allait peut-être me renseigner sur les travers de cette famille. Qu'avait-elle remarqué d'anormal chez les frères et les oncles de son mari ?

Elle ne pouvait malheureusement rien dire de précis. Ce qui l'irritait le plus, toutefois, c'était leur attitude envers les femmes. « C'est très difficile à expliquer », ajouta-t-elle. Elle était mal à l'aise, comme gênée dans les réunions de famille. Les Bigras, les hommes, traitaient leurs femmes et leurs filles comme si c'étaient des bêtes de somme dont ils avaient totalement besoin par ailleurs. Très tôt, dans ces soirées, les hommes se retiraient dans une autre pièce pour jouer aux cartes entre eux pendant que les femmes restaient au salon. Mais ma mère était humiliée de se retrouver parmi elles. C'était comme si on l'avait mise de force dans un troupeau d'animaux, de vaches, ou mieux de poules. Et cela aussi, elle devait le confesser au prêtre qui la blâmait en lui disant qu'elle commettait le plus grand des péchés, le péché d'orgueil. Elle avait beau s'en repentir, se traiter elle-même de tous les noms grossiers dont elle affublait les

Bigras, rien n'y faisait : elle ne pouvait pas changer d'idée.

Le désespoir l'avait rendue obstinée, butée, hautaine. Les Bigras, les fameux Bigras prétentieux, arrogants et craints lorsqu'ils étaient en public lui paraissaient petits, mesquins, sans fantaisie ni conversation lorsqu'ils se retrouvaient en privé. Elle les trouvait sans intérêt. Elle était devenue terriblement présomptueuse, en secret bien entendu. Elle aurait aimé les humilier tous, les faire manger dans sa main comme des chiens.

« Mais vous êtes enragée, ma mère ! »

Je n'en revenais pas de sa hargne.

« Je me suis calmée depuis », répondit-elle, tout en faisant des efforts inouïs pour ne pas reprendre la litanie d'injures dont elle aurait voulu abreuver tous les Bigras de la terre. Elle se calma après quelques secondes. « D'avoir vécu seule pendant tant d'années m'a rendue moins amère, moins haineuse.

— Mais il n'y avait pas seulement mon père, n'est-ce pas, qui était porté à courir les femmes ? »

Non. Il y en avait beaucoup d'autres. Et parfois c'était encore pire. Un des grands-oncles, par exemple, s'attaquait, lui, aux petites filles.

Mais cela aussi, ainsi que le considérait ma mère, faisait partie de leur bêtise, de leur folie.

« Mais j'y repense, ma mère, ajoutai-je comme si désormais la conversation était devenue facile, oui, j'y repense et je remarque que vous ne les avez jamais plus fréquentés depuis la mort de mon père. Vous vous êtes même rapprochée de votre maison d'enfance et de votre frère que vous voyez presque tous les jours. Peut-être n'avez-vous pas changé d'idées au sujet des Bigras. Peut-être êtes-vous tout aussi haineuse envers eux que vous l'étiez autrefois. »

Je m'arrêtai aussitôt. Je comprenais tout à coup que ma mère avait dû mettre une énergie peu commune à chasser les Bigras de son esprit. Et moi, fils ingrat, en vrai Bigras que j'étais, j'avais réveillé sa douleur la plus vive. Ma mère, devant moi, gardait maintenant les yeux baissés et semblait épuisée.

Ce soir-là, je restai très tard chez elle. Elle-même souhaitait me garder le plus longtemps possible. Comme j'avais congé le lendemain, j'acceptai de regarder avec elle le film de minuit à la télévision. Le film terminé, à deux heures du matin, ce fut au tour de ma mère de prendre la parole. Elle se leva et me regarda, elle aussi, droit dans les yeux :

« Ce que tu viens de me faire subir, dit-elle,

est cruel, nous le savons tous les deux. Mais je ne comprends pas pourquoi tu m'as soumise à cet interrogatoire puisque tu connais déjà toutes les réponses et encore mieux que moi.

— Asseyez-vous, répondis-je fermement mais avec tendresse. Oui, il m'a fallu beaucoup de temps mais j'ai quand même réussi à connaître le secret des Bigras.

— Et la faillite du couple de tes parents. As-tu le droit, dis-moi, de juger ton père et ta mère ?

— Asseyez-vous, je vous en prie. Je vais tout vous raconter. »

Je n'essayais plus d'être précis. Je commençai par mon aventure avec Marie. Je racontai à ma mère que j'avais vécu avec elle des sentiments inhabituels, océaniques, mais aussi des états d'âme catastrophiques. Par moments, j'avais même perdu le sens de la durée et de l'espace. A cette époque me revenaient de façon aiguë, avouai-je à ma mère, des souvenirs d'enfance reliés à mon père, à son somnambulisme. On aurait dit que lui-même était un revenant qui m'habitait de plus en plus, au fur et à mesure que se poursuivait mon aventure avec Marie. Je relatai aussi la fatidique journée du vendredi 13 avec Marie, où elle et moi avions, dans nos deux regards confondus, vécu un instant unique.

« Mais encore là, ma mère, ce regard de

Marie, je n'ai pu le soutenir. Il a failli me rendre fou. »

Ma mère s'était enfin calmée.

Ce que ma mère admirait le plus chez Marie, c'était sa capacité à contenir sa haine, ainsi que la mienne. Elle l'enviait pour cela. Contrairement à Marie, il avait fallu beaucoup de temps à ma mère avant de maîtriser sa rage et jamais elle n'avait réussi à calmer celle de son mari. En outre, ma mère était certaine que j'avais bien fait de ne pas faire l'amour avec Marie. C'était même à cause de cela qu'elle et moi avions pu aller si loin ensemble.

« Jamais tu n'aurais pu découvrir le secret de ton histoire, ni celle de ton père, si tu avais fait ça avec elle », m'assura-t-elle.

Elle en était convaincue. Elle-même, ma mère, avait tenté — auprès d'un prêtre d'origine allemande — de se confier et de s'en remettre totalement à lui. Mais elle l'avait trouvé trop réservé, trop peureux. « C'était sans doute un impuissant. »

Je trouvais que cette expression était un peu osée de la part de ma mère, même s'il ne s'agissait pas d'impuissance sexuelle. Je trouvais pourtant que le mot était juste et précis.

« Je dois vous avouer que j'étais un peu comme lui, ajoutai-je. Avec Marie, j'ai connu la

210

peur de ma vie. Si vous saviez combien j'avais besoin de comprendre, combien j'avais besoin d'aide. J'ai même dû faire des recherches sur mes ancêtres.

— Pourquoi tout ce travail? Pourquoi?» insista ma mère.

Et c'est alors que je lui parlai des gestes bizarres que j'avais eus soudain avec les enfants. Mon propre fils était en danger. Enfin, une fameuse nuit, j'ai compris que j'avais toujours vécu dans un enfer, comme mon père, comme tous les Bigras. Je lui appris que, depuis le début de la colonie, nous avions toujours été, nous les mâles, incapables de vraiment prendre soin des femmes et des enfants.

« Et je sais maintenant pourquoi je suis venu vous voir ce soir. Je suis venu, au nom de mon père, vous demander pardon pour tout ce qu'il vous a fait subir. »

C'est ainsi que je lui relatai comment j'en étais arrivé à connaître ce côté caché de la vie de mon père que l'on tenait pour un être sensible, généreux et bon mais qui, pendant son enfance, n'avait vécu que dans la haine et l'abandon. « Une vraie vie d'enfer », lui dis-je.

Ma mère était d'accord avec ce que je disais. Elle avait épousé mon père parce que son regard tirait sa force de l'enfer qu'il avait vécu.

211

Malgré elle, elle avait été entraînée dans ce même enfer dont elle n'avait jamais pu s'échapper, comme ce fut le cas pour moi aussi.

« Nous sommes faits de la même étoffe, vous et moi. Il fallait que je vienne vous raconter cette histoire, sinon je serais devenu fou, comme mon père. Puis-je vous en remercier ? »

Ma mère s'approcha de moi et je la pris doucement dans mes bras. Elle m'offrit de dormir chez elle. Elle fit le lit avec de beaux draps, vint me border et me donner un baiser sur le front. Je m'endormis aussitôt. Quand je me levai, à midi, la table était prête pour le petit déjeuner. Ma mère faisait comme si rien ne s'était passé.

« As-tu bien dormi ? me demanda-t-elle.

— Très bien.

— Regarde comme il fait beau ! »

Nous avons pris le café en silence. Une mésange à tête noire est venue se poser tout près de nous sur le balcon. Ma mère lui a jeté une bouchée de pain. Une deuxième mésange est venue aussitôt déloger la première, et j'ai vu le regard amusé de ma mère suivre la querelle des deux oiseaux.

212

TABLE DES MATIÈRES

Achevé d'imprimer
en août mil neuf cent quatre-vingt-trois
sur les presses de l'Imprimerie Gagné Ltée
Louiseville - Montréal.
Imprimé au Canada